岩井紀子・埴淵知哉 編
編集協力 大阪商業大学 JGSS研究センター

データで見る東アジアの健康と社会

東アジア社会調査による日韓中台の比較3

ナカニシヤ出版

はじめに

　本書は，大阪商業大学 JGSS 研究センターが，2010 年〜2011 年にかけて，韓国・中国・台湾の研究機関と共同で実施した東アジア社会調査（East Asian Social Survey: EASS）2010 のデータに基づいて，4 つの社会における人々の健康状態，健康行動，健康意識などを比較した研究書である。

　世界に例を見ないスピードと規模で高齢化が進んでいる日本では，近年，健康に強い関心が寄せられている。WHO の「世界保健統計 2011（World Health Statistics 2011）」によると，2009 年時点での平均寿命は世界全体では，男性 66 歳，女性 71 歳というなかで，日本では男性 80 歳，女性 86 歳である。女性は 1984 年から 26 年連続世界一，男性も世界で 2 番目に平均寿命の長い国である。平均寿命が着実に伸びてきた背景には，喫煙を控えたり，運動を心がけるなど，人々が健康を意識した行動をとるようになってきたことと関係しているように思われる。大阪商業大学が 2000 年から実施している日本版総合的社会調査（Japanese General Social Survey: JGSS）の結果においても，2010 年までに喫煙率が下がり，運動頻度が増加する傾向が観察されている。人々の健康状態については，一方で，職業や収入などの社会階層的な要因と関連し，健康格差が生じているのではないかという問題も近年，提起されている。

　高齢化は，韓国・中国・台湾においても，急速に進行しており，とくに中国では，一人っ子政策の影響を受けて，高齢者の扶養と介護が重要な社会問題になっている。本書では，このように世界一の平均寿命を誇る日本と，東アジアの他の国々——韓国（男性の平均寿命は 77 歳で 27 位，女性は 83 歳で 11 位），中国（男性は 72 歳で 53 位，女性は 76 歳で 76 位）ならびに台湾——における，人々の健康状態，健康行動，耽溺行動，受診経験，東洋医学などの代替医療を受けた経験，介護経験，医療不安，加齢への不安，医療保険・社会保障，社会的サポート，地域の環境などについての比較と考察を目指している。健康状態の自己評価に関しては，健康状態の測定に国際的に普及し妥当性と信頼性が検証されている SF-36（Medical Outcomes Study 36-Item Short Form Health Survey）の短縮版である SF-12 への回答を基にして比較を行う。

　具体的には，日本・韓国・中国・台湾で共通して尋ねた約 60 の設問を 6 つの分野——健康行動，健康状態，医療，介護・加齢，社会的サポート・信頼・希望，環境——に分け，図表を工夫して，4 つの社会におけるそれぞれの問題の類似性と差異を分かりやすく提示し，考察する。本書が提供する知識は，健康問題を研究する社会学・社会福祉学・経済学・地理学などの社会科学分野の研究者のみならず，医学研究者にもそれぞれの研究を深化させる契機となるであろう。

　EASS プロジェクトに参加している 4 チームはいずれも，1972 年から継続しているアメリカの総合的社会調査 General Social Survey（GSS）を範として，それぞれの国と地域において，毎年ないし隔年，全国規模の総合的社会調査を実施している。そして，JGSS が，2003 年 6 月に大阪商業大学で開催した「JGSS 国際シンポジウム 2003」を契機として，国際比較を行う計画が始まった。他の 3 チームは，1984 年から Taiwan Social Change Survey（TSCS）を実施している台湾チーム（中央研究院社会学研究所），2003 年に Korean General Social Survey（KGSS）を開始した韓国チーム（成均館大学 Survey Research Center），同じく 2003 年に Chinese General Social Survey（CGSS）を開始した中国チーム

(中国人民大学社会学部・香港科技大学調査研究中心）である。

　EASSプロジェクトでは，4チームがテーマを決め，議論とプリテストを重ね，約60問からなる設問群（モジュール）を作成し，各チームの調査に2年に1度，組み込んでデータを収集し，4チームのデータを合わせて統合データを作成し，国際比較分析に取り組んだ後，世界の研究者に統合データを公開している。第1回となった2006年のテーマは，「東アジアの家族（Families in East Asia）」であり，この調査データに基づいて本書のシリーズの第1作となる『データで見る東アジアの家族観―東アジア社会調査による日韓中台の比較』（岩井紀子・保田時男編，ナカニシヤ出版，2009）を上梓した。2008年のテーマは，「東アジアの文化とグローバリゼーション」であり，第2作となる『データで見る東アジアの文化と価値観―東アジア社会調査による日韓中台の比較2』（岩井紀子・上田光明編，ナカニシヤ出版，2011）を上梓した。2010年のテーマが本書で扱っている「東アジアにおける健康と社会（Health and Society in East Asia）」である。2012年のテーマは「東アジアにおける社会的ネットワークと社会関係資本（Social Network and Social Capital in East Asia）」であり，4チームは実査を終了して，それぞれデータのクリーニングに取り組んでいる。

　参加チームが共通の調査票を練り上げて国際比較調査を実施するプロジェクトとしては，1973年に発足した「ユーロ・バロメーター（Eurobarometer）」が先駆けであるが，1981年にミシガン大学のRonald Inglehart教授を中心に発足した「世界価値観調査（World Values Survey）」は，2005年のラウンドには57ヵ国・地域が参加する規模となり，1984年にGSSを範とする4ヵ国で始まった「International Social Survey Programme（ISSP）」は，2008年には42ヵ国が参加するプロジェクトに育っている。

　アジアにおいても，2000年には国立台湾大学と中央研究院政治学研究所が中心となり「東アジア・バロメーター（East Asia Barometer）」が始まり，2003年には中央大学（当時）の猪口孝教授を研究代表とする「アジア・バロメーター（AsiaBarometer）」が開始された。前者は2003年にSouth Asia Barometerと合併して「アジアン・バロメーター（Asian Barometer）」と名称を変え，2007年時点で13ヵ国・地域が参加している。後者は2006年時点で7ヵ国・地域を対象としている。この他に，1時点の国際比較調査としては，2002年から2005年にかけて6ヵ国・地域を対象として統計数理研究所が実施した「東アジア価値観国際比較調査（East Asia Value Survey）」，2005年に日本・韓国・台湾を対象に実施された「2005年社会階層と社会移動調査（Social Stratification and Social Mobility Survey: SSM）」がある。前者は，その後，シンガポール，オーストラリア，インドにも範囲を広げて，「環太平洋価値観国際比較調査（Asia-Pacific Values Survey）」に名称を改めている。

　EASSプロジェクトは，これらのプロジェクトに比べて，参加している国・地域の数は少ないものの，東アジア社会に特有の問題や関心に基づいて，徹底した議論とプリテストに基づいてモジュールを作成し，各国・地域を代表するサンプルを厳密に抽出し，実査とデータクリーニングについても徹底した管理を行っている。またそれぞれのチームが独自に予算を確保して調査を実施しているので，継続性を前提として，お互いに対等な立場で議論を行っている。EASSの事務局は，4チームが2年交代で担当し，事務局長は，2004-2005年はKGSSのKIM, Sang-Wookが，2006-2007年はTSCSのCHANG, Chin-Fenが，2008-2009年はJGSSの岩井紀子が，2010-2011年はCGSSのBIAN, Yanjieが務め，4チームで一巡したのち，2012年からは再び，KGSSのKIM, Sang-Wookが務めている。事務局と同じチームから，モジュール作成会議の議長を出しており，EASS 2010の議長は，早稲田大学総

■ 東アジアにおける国際比較調査：調査企画・研究代表（実施当時）

調査名	調査企画・運営主体	日本の研究代表者	日本の調査実施機関
世界価値観調査2005	World Values Survey Executive Committee	山崎聖子（電通総研スーパーバイザー）	日本リサーチセンター
ISSP2008「宗教Ⅲ」	The ISSP Secretariat	荒牧央（NHK放送文化研究所研究員）	中央調査社
第2回アジアン・バロメーター（東アジア・バロメーター）	Asian Barometer Core Partners	池田謙一（東京大学大学院人文社会系研究科教授）	中央調査社
アジア・バロメーター2006	中央大学猪口研究室	猪口孝（中央大学教授）	日本リサーチセンター
環太平洋価値観国際比較調査（東アジア価値観国際比較調査）	統計数理研究所	吉野諒三（統計数理研究所教授）	新情報センター
2005年社会階層と社会移動調査	2005年社会階層と社会移動調査研究会	佐藤嘉倫（東北大学大学院文学研究科教授）	中央調査社

■ 東アジアにおける国際比較調査：調査概要

調査名	参加国・地域[1]	目標対象者数（年齢）	回答者数（回答率）[2]	調査方法[2]
世界価値観調査2005	<u>日本</u>, <u>韓国</u>, <u>中国</u>, <u>台湾</u>ほか計57ヵ国・地域	1,000人（18歳〜）	1,000（50%）	郵送法
ISSP2008「宗教Ⅲ」	<u>日本</u>, <u>韓国</u>, <u>台湾</u>ほか計42ヵ国・地域	1,000〜1,400人（成人；日本は16歳以上）	1,200（66.7%）	留置法
第2回アジアン・バロメーター（東アジア・バロメーター）	<u>日本</u>, <u>韓国</u>, <u>台湾</u>, <u>中国</u>, 香港, カンボジア, インドネシア, マレーシア, モンゴル, フィリピン, シンガポール, タイ, ベトナム	1,200人（選挙権が認められる年齢）	1,067（42.7%）	面接法
アジア・バロメーター2006	<u>日本</u>, <u>韓国</u>, <u>台湾</u>, <u>中国</u>, 香港, ベトナム, シンガポール	1,000人；中国2,000人（20〜69歳）	1,003（不明）	面接法
環太平洋価値観国際比較調査（東アジア価値観国際比較調査）	<u>日本</u>, <u>韓国</u>, <u>台湾</u>, <u>中国</u>（北京, 上海）, 香港, アメリカ, シンガポール, オーストラリア, インド	1,000人（18〜20歳以上）	1,139（63.3%）	面接法
2005年社会階層と社会移動調査	<u>日本</u>, <u>韓国</u>, <u>台湾</u>	5,200〜14,140人[3]（20〜69歳）	5,742（44.1%）	面接法

1) 下線はEASSに参加している国・地域。
2) 回答者数・調査方法は日本でのものであり，他の国・地域では異なることがある。
3) 目標対象者数は設定されていない。サンプルサイズを記載。

合学術院の小島宏教授が務めた。

　EASSの最初の試みであった「東アジアの家族」のモジュールの作成は，非常に難航した。その後，修正提案には必ずプリテストや先行研究のデータを添付するなど，議論を進める際の手順やルールが確立してきたこともあり，2回目の「東アジアの文化とグローバリゼーション」ではモジュールの作成はかなりスムーズに進行した。4チームは英語を共通言語としており，4ヵ国で使用される調査票の文言のニュアンスを整えることは大変な作業であるが，時折，お互いにどのように表記するのかを漢字で確認しながら進めている。

　しかしながら，3回目となる「東アジアの健康と社会」のモジュールの作成は，再び非常に難航し

た。JGSS 以外の 3 チームはいずれも，ISSP のモジュールを EASS と同一の調査票またはサンプルを分けた別の調査票に組み込んでいるために，これまでは，EASS のテーマと ISSP のテーマが重ならないように注意してきた。ところが今回は，EASS がテーマを「健康」に決めた後に，ISSP 2011 のテーマも「健康」に決まり，台湾チームが両方のモジュールを組み合わせてひとつの調査票にまとめて，2010 年ではなく 2011 年の調査に組み込もうとしたために，2 つのモジュールの重複と独自性を調整すること，ならびにスケジュールの調整に非常に苦労した。韓国チームも，両方のモジュールを一緒に組み込むかどうかを最後まで迷っていた。中国チームは，早い段階で，両方を一緒にしないことを決めていた。詳細については，本書の「調査の内容」に掲載している表に記載している。

このような事情から，JGSS は，ISSP のモジュールが確定する前に，調査票を確定せざるを得ず，EASS モジュールは，JGSS の実査の後に確定するという事態になった。結果的に，今回の調査では台湾チームは，日本・韓国・中国と共通する設問がかなり減ってしまった。

ようやく EASS モジュールが確定した後も，トラブルはさらに続いた。まず，中国チームのデータ入力に関するトラブルから，中国チームのデータ入力が大幅に遅れ，さらに，2010 年ではなく 2011 年に EASS モジュールを組み込んだ調査を実施した台湾チームが抽出段階でのトラブルで，72 歳までしか抽出していなかったことが判明した。台湾チームの 73 歳以上のデータは 2012 年 4 月に加えられ，EASS の 4 チームのデータがそろったのは 2012 年 5 月である。

EASS データのクリーニングは EASS 2006 以降，JGSS のリードにより進められているが，EASS 2010 以降は，データのクリーニングだけではなく，データの統合の段階から JGSS が担当している。EASS 2010 統合データは，2012 年 12 月末に EASS のセントラル・アーカイブである EASSDA（East Asian Social Survey Data Archive：http://www.eass.info/）から公開された。本書を読んで関心をもたれた方は，是非，利用していただきたい。

EASS 2010 モジュールの作成，データの統合，クリーニングならびに『EASS 2010 Health Module Codebook』（大阪商業大学 JGSS 研究センター編，2012）の刊行は，JGSS 研究センターの研究員と事務スタッフの注意深く粘り強い姿勢により完成にこぎつけた。とくに，本書の編者である埴淵知哉氏（中京大学国際教養学部准教授），本書の共著者である佐々木尚之氏（大阪商業大学総合経営学部助教）ならびに野崎華世氏（慶應義塾大学パネルデータ設計・解析センター研究員）と三輪加奈氏（釧路公立大学経済学部講師）に多くを負っている。4 名の方はともに，元 JGSS 研究センターの研究員であった。さらに健康状態を自己評価する SF-12 の利用に際しては，京都大学大学院医学研究科社会健康医学系専攻健康解析学講座医療疫学の福原俊一教授，国立循環器病研究センター研究開発基盤センター予防医学・疫学情報部の竹上未紗研究員，京都大学大学院医学研究科の山本洋介特定講師ならびに認定 NPO 法人健康医療評価研究機構 iHope International からご助言とご協力をいただいた。

目　次

はじめに i
編者・執筆者紹介 viii

1章　EASS 2010 の概要

1.1　調査内容・調査方法 2
1.2　回答者の基本属性 10

2章　健康行動

2.1　タバコを吸いますか 16
2.2　何年くらいタバコを吸っていますか 17
2.3　タバコを「吸い過ぎだ」と言われますか 18
2.4　タバコを「吸い過ぎている」人はいますか 19
2.5　お酒を飲みますか 20
2.6　お酒を「飲み過ぎだ」と言われますか 22
2.7　お酒を「飲み過ぎている」人はいますか 23
2.8　運動をしていますか 24
2.9　健康診断を受けていますか 26
2.10　ギャンブルを「やり過ぎだ」と言われますか 27
2.11　ギャンブルを「やり過ぎている」人はいますか 28
2.12　ゲームを「やり過ぎだ」と言われますか 29
2.13　ゲームを「やり過ぎている」人はいますか 30

3章　健康状態

3.1　あなたの健康状態は，いかがですか 32
3.2　健康上の理由で，適度の活動をすることがむずかしいと感じますか ... 34
3.3　健康上の理由で，階段をのぼるなどの活動をすることがむずかしいと感じますか 35
3.4　身体的な理由で，仕事やふだんの活動が思ったほどできなかった ... 36
3.5　身体的な理由で，仕事やふだんの活動の内容によってはできないものがあった 37
3.6　心理的な理由で，仕事やふだんの活動が思ったほどできなかった ... 38

3.7　心理的な理由で，仕事やふだんの活動がいつもほど集中してできなかった
　　　　　　　　　　　　　　　　　　　　　　　　　　　　　　　　　39
　3.8　いつもの仕事が痛みのために妨げられましたか　40
　3.9　おちついていて，おだやかな気分でしたか　41
　3.10　活力（エネルギー）に，あふれていましたか　42
　3.11　おちこんで，ゆううつな気分でしたか　43
　3.12　人とのつきあいが，身体的あるいは心理的な理由で妨げられましたか　44
　3.13　**SF-12** 下位得点による健康関連 **QOL** の評価　45
　3.14　慢性的な病気や健康問題がありますか　49
　3.15　慢性的な病気 ①高血圧　51
　3.16　慢性的な病気 ②糖尿病　52
　3.17　慢性的な病気 ③心血管疾患　53
　3.18　慢性的な病気 ④呼吸器疾患　54
　3.19　慢性的な病気 ⑤その他　55
　3.20　体格指数（BMI: Body Mass Index）　56

4章　医　　療

　4.1　医者に診てもらっていますか　58
　4.2　医療保険に入っていますか　59
　4.3　医療を受けられない不安がありますか　60
　4.4　医療費を払えない不安がありますか　61
　4.5　受診を控えたことがありますか　62
　4.6　受診を控えた理由は何ですか　63
　4.7　鍼・灸を受けたことがありますか　64
　4.8　漢方薬を使ったことがありますか　65
　4.9　指圧・マッサージを受けたことがありますか　66

5章　介護・加齢

　5.1　介護が必要な方はいますか　68
　5.2　介護をしていますか　69
　5.3　加齢に伴う不安 ①自分のことができなくなる　70
　5.4　加齢に伴う不安 ②他人に決めてもらわなくてはならない　71
　5.5　加齢に伴う不安 ③他人に経済的に依存しなくてはならない　72

6章　社会的サポート・信頼・希望

　6.1　家族・親族は悩みや心配事を聞いてくれますか　74
　6.2　家族・親族は経済的に支援してくれますか　76

6.3	家族・親族は家事を手助けしてくれますか	77
6.4	友人や同僚，近所の人は悩みや心配事を聞いてくれますか	78
6.5	友人や同僚，近所の人は経済的に支援してくれますか	79
6.6	友人や同僚，近所の人は家事を手助けしてくれますか	80
6.7	専門家は悩みや心配事を聞いてくれますか	81
6.8	専門家は経済的に支援してくれますか	82
6.9	専門家は家事を手助けしてくれますか	83
6.10	一般的に，人は信用できますか	84
6.11	希望のなさ ①物事がよい方向に行くとは考えられない	85
6.12	希望のなさ ②目指している目標は達成できない	86

7章　環　境

7.1	大気汚染は深刻ですか	88
7.2	水質汚染は深刻ですか	89
7.3	騒音被害は深刻ですか	90
7.4	近隣は運動に適していますか	91
7.5	近隣で新鮮な野菜・果物が手に入りますか	92
7.6	近隣では公共施設が整っていますか	93
7.7	安心して生活できますか	94
7.8	近所の人はお互いに気にかけていますか	95
7.9	近所の人は手助けしてくれますか	96

コラム1	体重や体型をどう思うか	97
コラム2	ゆとり・癒しを求める人々	100
コラム3	インフルエンザへの不安と予防	102
コラム4	社会階層による健康の格差	104

引用・参考文献	105
EASS 2010 調査票と本書のセクション番号との対応表	106
索　引	111

■編者・執筆者紹介（編者*）

岩井　紀子* （いわい　のりこ）　はじめに，第1章1節，第3章，第5章，第6章，コラム2
生　年　1958年
最終学歴　スタンフォード大学大学院社会学研究科博士課程単位取得退学
現　　職　大阪商業大学 JGSS 研究センター長・総合経営学部教授
主　　著　『日本人の姿　JGSS にみる意識と行動』（編著，有斐閣，2002年）
　　　　　『調査データ分析の基礎―JGSS データとオンライン集計の活用』（編著，有斐閣，2007年）
　　　　　『日本人の意識と行動―日本版総合的社会調査 JGSS による分析』（編著，東京大学出版会，2008年）
　　　　　『データで見る東アジアの家族観―東アジア社会調査による日韓中台の比較』（編著，ナカニシヤ出版，2009年）
　　　　　『データで見る東アジアの文化と価値観―東アジア社会調査による日韓中台の比較2』（編著，ナカニシヤ出版，2011年）

埴淵　知哉* （はにぶち　ともや）　第2章，第4章，第7章，コラム3，コラム4
生　年　1979年
最終学歴　京都大学大学院文学研究科博士後期課程修了　博士（文学）
現　　職　中京大学国際教養学部 准教授・大阪商業大学 JGSS 研究センター嘱託研究員
主　　著　『NGO・NPO の地理学』（明石書店，2011年）
　　　　　"Socio-economic status and self-rated health in East Asia: A comparison of China, Japan, South Korea and Taiwan"（共著，*European Journal of Public Health*，2010年）

佐々木　尚之　（ささき　たかゆき）　第1章2節，コラム1
生　年　1977年
最終学歴　テキサス大学オースティン校 Human Development and Family Sciences（Ph.D.）
現　　職　大阪商業大学総合経営学部助教・JGSS 研究センター運営委員
主　　著　"The supermom trap: Do involved dads erode moms' self-competence?"（共著，Personal Relationships，2010年）
　　　　　「不確実な時代の結婚―JGSS ライフコース調査による潜在的稼得力の影響の検証」（『家族社会学研究』，2012年）

第1章
EASS 2010 の概要

1.1 調査内容・調査方法

　East Asian Social Survey (EASS) は，4つの国と地域（日本・韓国・中国・台湾）の研究チームが実施している全国規模の継続調査に，共通の設問群（モジュール）を組み込むという方法を取っている。4チームが実施している総合的社会調査の概要は，表1-1の通りである。JGSSは，各対象者に対して，面接法と留置法を併用しているが，他の調査では面接法のみである。JGSSとTSCSは，サンプルを2分割して2種類の調査を行なっており（JGSSの場合，面接調査票は1種類で，留置調査票が2種類），片方にEASSモジュールを組み込んでいる。一方，KGSSはサンプル規模が2,500人であり，サンプルを分割することができない上に，すでにISSP (International Social Survey Programme) モジュールを組み込んでいるために，調査票に余裕がない。そこで，EASSモジュールは約60問（面接で15分以内）に限定している。JGSSとTSCSのように，調査票に余裕がある場合は，各チームの判断で，EASSモジュールと関連する設問を加えている。

　表1-2は，EASS 2010のテーマを決定してから，本書の刊行に至るまでの過程をまとめたものである。EASSプロジェクトの参加チームは，2007年7月に香港でモジュールのテーマを決定して以降，大阪・東京・大阪・ソウル・北京・台北でのミーティングやEメールでの議論を重ねた。各チームによる1回（CGSS, KGSS, TSCS）ないし2回（JGSS）のプリテストの結果を検討した上で，2010年1月にEASS 2010のモジュールを完成させた。JGSSチームによる2010年2月の実査を皮切りに，KGSSは6月に，CGSSは7月に，TSCSは2011年7月にそれぞれの国・地域で実査を開始した。その後も参加チーム間のやり取りを経て，データセットを整備し，2012年12月にEASSDAから公開している。

表1-1 4チームが継続的に実施している全国調査の概要

	日本	韓国	中国	台湾
調査名	日本版総合的社会調査 (Japanese General Social Surveys)	Korean General Social Survey	中国総合社会調査 (Chinese General Social Survey)	台湾社会変遷調査 (Taiwan Social Change Survey)
略称	JGSS	KGSS	CGSS	TSCS
http:	//jgss.daishodai.ac.jp/	//kgss.skku.edu/	//www.chinagss.org/	//survey.sinica.edu.tw/
調査主体	大阪商業大学JGSS研究センター[1]・東京大学社会科学研究所	成均館大学 Survey Research Center	中国人民大学社会学系・香港科技大学調査研究中心	中央研究院社会学研究所
調査方法	面接法と留置法の併用	面接法	面接法	面接法
調査頻度	2000～2003年は毎年；2005年；2006年以降は隔年；最新は2012年；2003年と2006年以降は留置調査票は2種類	2003年から毎年；ISSP[2]のモジュールを組み込んでいる	2003年から毎年；2008年からISSP[2]のモジュールを組み込んでいる	1984/85年から基本的に毎年実施；1990年からは調査票は2種類（片方にISSP[2]モジュールを組み込んでいる）

1) 2008年6月までは，大阪商業大学比較地域研究所JGSS部門
2) International Social Survey Programme

EASS 2010 モジュールの作成にあたっては，EASS がテーマを「健康」に決めた後に，ISSP（International Social Survey Programme）2011 のテーマも「健康」に決まり，台湾チームが両方のモジュールを組み合わせてひとつの調査票にまとめて，2010 年ではなく 2011 年の調査に組み込もうとしたために，2つのモジュールの重複と独自性を調整すること，ならびにスケジュールの調整に非常に苦労した。また，中国チームのデータ入力が大幅に遅れ，台湾チームが 72 歳までしか抽出しなかったことなどのミスが重なった。これらの経過については，表 1-2 に詳しく記載している。

表 1-2 EASS 2010 Health Module の作成から Codebook の刊行まで

	会議名	協議内容など
2007.7.17-19	EASS Conference EASS General Meeting	EASS 2010 の調査テーマを『Health and Society in East Asia』に決定；議長は小島宏（JGSS）；EASS 事務局（2008-2009）は JGSS；事務局長は岩井紀子［於 香港科技大学（香港）］
2007.11.10-12	EASS Conference EASS Drafting Group Meeting	スケジュールの提示［於 大阪商業大学］
2008.3.14-15	東アジアのデータアーカイブに関する国際シンポジウム EASS Drafting Group Meeting	基本的なスタンスと方向性に関する議論：公衆衛生学や疫学などの専門分野に沿って作成するのではなく，社会科学の立場から，社会調査として健康というテーマに取り組む［於 東京大学社会科学研究所］
2008.4-2009.2	EASS 2010 研究課題の募集	採択：「医療アクセス（受診しない理由）」「医療に関する不安と社会経済的地位の関連」「インフルエンザの流行に関する意識と保健行動」
2008.5	〈ISSP General Meeting〉	ISSP 2011 モジュールのテーマが Health に決定；JGSS 以外の 3 チームは ISSP に参加
2008.5.10	EASS 2010 日本チーム研究会	サブトピックと具体的設問を検討［於 大阪商業大学］
2008.5	［サブトピックと調査項目についてメール上で協議］	JGSS 案：健康状態・治療中の病気・アレルギー・インフルエンザ・喫煙・飲酒・耽溺行動・運動・健康診断・通院頻度・通院回避理由・東洋医療・保険システムへの不安・信頼感・社会的支援など 15 トピック 40 問（5/27）→ KGSS コメント：理論的背景と概念枠組みを固める提案と多様化ではなく少数戦略を推奨（5/29）
2008.6.7-9	JGSS 国際シンポジウム 2008 EASS Drafting Group Meeting	ISSP 2011 モジュールとの重複問題について協議：ISSP のモジュールは「公衆衛生と医療政策（Public Care and Health Care Policy）」に焦点をあてており，2009 年 4 月末には確定するので，内容の重複は避けられる；テーマは変更せず，ISSP と内容が重複しないように，東アジアの問題に焦点をあてる；KGSS は KGSS-2010 に EASS を，KGSS-2011 に ISSP を組み込む；CGSS はサンプルを 2 分割しており，EASS と ISSP をそれぞれのサンプルに組み込む；TSCS もサンプルを 2 分割しているが，EASS と ISSP をそれぞれのサンプルに組み込むことはできないので対処を考えたい；各チームは 7 月末までに調査票のたたき台を作成する［於 大阪商業大学］
2008.7-10	［サブトピックについてメール上で協議］	KGSS 提案：メンタルヘルスとスティグマに関する GSS 2006 の設問と生活の質に関する WHO のモジュールを参照することを提案（7/22）→ TSCS：EASS 2010 への参加表明（8/1）→ KGSS：ISSP 2011 モジュールは 2009 年 4 月末ではなく 2010 年 4 月末に確定との連絡（8/13）→ TSCS と CGSS：JGSS 案にコメント（8/18）→ KGSS：リストアップした 26 のトピックに各チームが 3 位まで優先順位をつける提案（8/20）→議長：各チームの優先順位を 8 月 27 日までに示すよう提案（8/20）→ KGSS：優先順位提出（8/21）→ JGSS：具体的設問のイメージがないままサブトピックの優先順位をつけることはできないと回答（8/25）→ TSCS：EASS 2010 を ISSP 2011 と統合して，TSCS 2011 に組み込むことを表明（9/9）→ KGSS：スティグマに関する概念枠組み（10/23）
2008.11.1	EASS 2010 日本チーム研究会	JGSS 提案設問の方向性の確認［於 大阪商業大学］

2008.11	[サブトピックについてメール上で協議]	KGSS：EASS 2010 を ISSP 2011 と統合して，KGSS-2010 に組み込むことを表明（11/10）→ CGSS：概念枠組と設問案 50 問提示（11/11）→ JGSS：JGSS と CGSS の設問案を 13 トピックに整理（11/11）→ TSCS：概念枠組と設問案提示（11/17）→ JGSS：概念枠組提示；TSCS 設問案も加えて 14 トピックに整理（11/17）
2008.11.19-21	EASS Conference 2008 EASS General Meeting	モジュールの暫定案作成：概念枠組の説明と設問の絞り込みと修正；40 問；飲酒は WHO のアルコール量の設問で測定；GSS2006 からのスティグマ設問はビネット形式ではない通常の設問形式に；加えて健康状態の測定に国際的に普及し妥当性と信頼性が検証されている SF-36（Medical Outcomes Study 36-Item Short Form Health Survey）の短縮版である SF-12 または SF-8 を組み込む；医療アクセスと医療保険・社会保険については ISSP と重複するので，ISSP の設問形式が固まるのを待つ［於 成均館大学 Survey Research Center（ソウル）］
2008.12-2009.1	[JGSS によるプリテストと 2010 年 2 月の本調査に SF-12 に組み込んで使用するための交渉]	SF-36 の日本における版権をもつ iHOPE と交渉→ SF-12 は日本では未公開であり，プリテストでは SF-8 を用いる／本調査までに iHOPE が SF-12 の日本語版を準備する→ iHope 主催の「QOL 活用法セミナー」「iHope 設立 5 周年記念報告会」に岩井紀子・埴淵知哉が参加・交渉（1/17））［於 京都大学医学部］
2008.12	[SF-12 の使用に関する交渉]	CGSS：SF-12 はまだ使用されていないので申請して，自ら信頼性と妥当性を検証する必要あり（12/1）→ TSCS：SF-36 についてのみ妥当性と信頼性が検証されており，SF-8 と SF-12 についてはまだ（12/4）→ CGSS：SF-12 が利用できるようになる（4/8）→ KGSS：全国調査が行われておらず National Norm Score をもたない
2008.12-2009.1	[モジュール案の修正についてメール上で協議]	JGSS 修正（12/1）→ KGSS 確認（12/2）→ TSCS 修正（12/4）→ JGSS 修正（12/6）→ KGSS 修正（12/10）→ JGSS：プリテスト調査票確定：生きがい設問追加（1/13）
2009.1	EASS 2010 第 1 回プリテスト実施（JGSS）	調査地域：東大阪市 調査対象：20 〜 89 歳の男女個人 300 人 抽出方法：2 段無作為抽出法 調査方法：郵送法 有効回収数（率）：170（57.4%）
2009.2.9	JGSS プロジェクトと EASS 2010 についてのセミナー	岩井紀子・埴淵知哉［於 京都大学大学院医学研究科社会健康医学系専攻健康解析学講座医療疫学］
2009.2	EASS 2010 研究課題の募集	採択：「運動と健康」「生きがいと健康」「皮膚のそう痒感と大気汚染」「体型イメージ」
2009.2.27	EASS 2010 研究会（3）	JGSS による EASS 2010 第 1 回プリテストの結果報告と修正案協議［於 大阪商業大学］
2009.3-4	[モジュールの修正についてメール上で協議]	JGSS が第 1 回プリテストの結果と修正案を他のチームに送付：皮膚のそう痒感設問追加（3/21）→ CGSS コメント（4/7）→ KGSS コメント（4/22）→ TSCS コメント（5/6）
2009.4.26-29	〈ISSP General Meeting〉	ISSP 2011 Health モジュールのトピック選択・Standard Background Variables（SBV）の修正協議
2009.5.10	EASS 2010 研究会（4）	他のチームのコメントを受けて JGSS の修正案の再考［於 大阪商業大学］
2009.5.19	[モジュールの再修正案送付]	JGSS 再修正案：希望設問追加；ISSP モジュールが決まらないので，通院・保険設問追加（5/19）
2009.5.25-27	EASS 2010 Drafting Group Meeting	JGSS 第 1 回プリテストの結果・各チームの修正案に基づきモジュール修正：希望・通院・保険設問追加；スティグマのビネット・地域環境の設問追加；ISSP による SBV の変更に伴い EASS の SBV を変更［於 中国人民大学（北京）］
2009.6.21	EASS 2010 研究会（5）	JGSS 第 2 回プリテスト調査票の確認［於 大阪商業大学］

2009.8	EASS 2010 第 2 回プリテスト実施（JGSS）	調査地域：東大阪市 調査対象：20〜89 歳の男女個人 400 人 抽出方法：2 段無作為抽出法 調査方法：郵送法（A・B 票の 2 種類の調査票で実施；B 票が EASS Health module 中心） 有効回収数（率）：196（49.0%）
2009.9	［モジュールの修正案］	JGSS が第 2 回プリテストの結果と修正案を他のチームに送付（9/24）
2009.10	EASS 2010 第 1 回プリテスト実施（CGSS）	調査地域：北京市 調査対象：18 歳以上の男女個人 318 人 抽出方法：層化 2 段無作為抽出法 調査方法：家計調査法
2009.10	EASS 2010 第 1 回プリテスト実施（TSCS）	調査地域：全国 調査対象：18 歳以上の男女個人 1,200 人 抽出方法：層化 3 段無作為抽出法 調査方法：電話調査
2009.10	EASS 2010 第 1 回プリテスト実施（KGSS）	調査地域：ソウル特別区 調査対象：18〜80 歳の男女個人 52 人 抽出方法：割当抽出法 調査方法：面接調査法
2009.10.25	EASS 2010 研究会（6）	他のチームのコメントを受けて JGSS の修正案の再考［於 大阪商業大学］
2009.11	［モジュールの修正についてメール上で協議］	KGSS：GSS2010 のエイジング設問追加提案（11/4）→ KGSS プリテストデータと修正案（11/7）→エイジング設問追加に関して JGSS コメント（11/9）→ TSCS のプリテストの分布（11/11）→ CGSS のプリテストの分布（11/12）→ CGSS の修正案（11/16）→ JGSS：4 チームのプリテストの回答分布一覧表作成
2009.11.18-20	EASS Conference EASS General Meeting	4 チームのプリテスト結果に基づくモジュール修正協議；TSCS：ISSP が SF-8 ないし 12 を組み込まないので TSCS は SF を組み込まない；CGSS は CGSS2011 には EASS モジュールのみ組み込み，ISSP2011 は CGSS2011 に組み込む；ソーシャル・サポート設問については，留置法をとる日本のみ簡潔な設問を採用；JGSS 提案の希望設問を採用；KGSS 提案のエイジング設問を一部採用；JGSS 提案の体重についての希望設問を KGSS が採用［於 中央研究院（台北）］
2009.11-2010.1	［モジュールの修正についてメール上で協議］	議長：台湾での議論を反映させたモジュール確定（11/30）→ KGSS コメント（12/4）→ JGSS コメント（12/13）→ KGSS コメント（12/17）→ JGSS コメント（12/21）→ TSCS コメント（12/22）→ JGSS コメント（12/27）→ CGSS コメント（1/14）→ JGSS コメント（1/15）
2010.1.15	［モジュールほぼ確定］	議長：モジュールをほぼ確定（1/15）→ JGSS：EASS モジュールと健康関連の JGSS 独自設問を組み込んだ JGSS-2010 留置 B 票を英訳して他のチームへ（1/19）
2010.2	JGSS-2010 実施 （EASS 2010 Health Module 含む）	調査地域：全国 調査対象：20〜89 歳の男女個人 9,000 人（面接調査票と留置 B 票を尋ねた対象者は，4,500 人） 抽出方法：層化 2 段無作為抽出法 調査方法：面接調査法と留置法を併用；留置票 2 種類のうち B 票に EASS Culture module を含む B 票有効回収数（率）：2,496（62.14%）
2010.5.2-5	〈ISSP General Meeting〉	ISSP 2011 Module on Health and Health Care が確定
2010.5.20-22	EASS Conference EASS General Meeting	ISSP 2011 モジュールの確定を受けて，EASS と ISSP を統合する TSCS のモジュールの変更を確認；JGSS が調査状況報告；統合データ作成のスケジュール確認［於 成均館大学（ソウル）］
2010.5	［サポート設問について協議］	KGSS：JGSS が組み込んだ形式とは異なるサポート設問を提案（5/25）→ TSCS コメント（5/26）→ TSCS 修正案（6/4）→議長：JGSS 以外のチームのサポート設問を含み全体を確定（6/9）→ JGSS：変数名入り調査票を配布（8/4）

2010.6	KGSS-2010 実施 （EASS 2010 Health Module 含む）	調査地域：全国 調査対象：18歳以上の男女個人 2,500 人 抽出方法：層化3段無作為抽出法 調査方法：面接調査法
2010.7	CGSS-2010 実施 （EASS 2010 Health Module 含む）	調査地域：全国 調査対象：18歳以上の男女個人 5,370 人 抽出方法：層化3段無作為抽出法 調査方法：面接調査法
2010.9-2011.11	［4チームの設問対応表作成］	JGSS：KGSS の調査票（9/2 到着）と CGSS の調査票（9/4 到着）から対応表作成
2010.11.25-27	EASS Conference EASS General Meeting	4チームの設問の対応表と変数名・コードの確認［於 大阪商業大学］
2010.12	［4チームの設問対応表配布］	JGSS：確認した調査票・SBV・対応表を4チームに配布（12/7）
2011.2	［KGSS のデータ統合］	KGSS よりデータ受領・クリーニング開始（2/16）→矛盾点のリストを KGSS へ（3/10）→修正データ到着（4/11）→矛盾点のリストを KGSS へ（4/11）→修正データ到着（4/12）→矛盾点のリストを KGSS へ（4/12）→修正データ到着（4/14）→JGSS と KGSS の統合データを4チームに配布（4/14）
2011.5.19-21	EASS Conference EASS General Meeting	KGSS と CGSS が調査状況の報告；モジュールの変数名とコードの確認；TSCS 以外の3チームの設問の対応表の確認；SBV に関して ISSP が就業地位のコードを変更したことへの対応；SF-12 の下位スコアの入手について協議；KGSS は SF-12 の National Norm Score をもたない［於 大阪商業大学］
2011.7	TSCS-2011 実施 （EASS 2010 Health Module と ISSP2011Health Module 含む）	調査地域：全国 調査対象：18歳以上の男女個人 4,052 人 抽出方法：層化3段無作為抽出法 調査方法：面接調査法
2011.8	［CGSS のデータ統合開始］	CGSS よりデータ受領（8/31）→更新版データ到着・クリーニング開始（9/19）→矛盾点のリストを CGSS へ（9/27）
2011.11.26	〈SF-12v2 日本語版発表〉	SF-12v2 日本語版の使用が可能となり，3つのサマリースコア（身体・精神・役割／社会）と8つの下位スコアのスコアリングプログラムが利用可能に
2011.12	［TSCS のデータ統合］	TSCS よりデータ到着（11/29）→矛盾点のリストを CGSS へ（12/12）→修正データ到着（12/15）→矛盾点のリストを CGSS へ（12/21）→修正データ到着（12/21）→矛盾点のリストを CGSS へ（12/26）→修正データ到着（12/27）→JGSS と KGSS と TSCS の統合データを4チームに配布（12/27）
2012.1-2	［CGSS のデータ統合］	CGSS より修正データが変数・値ラベルがない形で到着（1/27）→矛盾点のリストを CGSS へ（1/31）→修正データ到着（2/12）→矛盾点のリストを CGSS へ（2/13）→修正データ到着（2/14）
2012.2	［EASS 2010 統合データ（暫定版）作成］	CGSS のデータを加えて EASS 統合データを作成する過程で，TSCS が意図せずに 72 歳までしか抽出していないことが判明（2/16）→EASS 統合データ（暫定版）を4チームに配布（2/29）
2012.3	EASS 2010 基礎集計表刊行	『East Asian Social Survey: EASS 2010 Health Module Codebook』大阪商業大学 JGSS 研究センター
2012.3-4	TSCS-2011 追加調査実施	TSCS：73 歳以上を対象として TSCS-2011 を実施
2012.5	［EASS 2010 統合データ完成］	TSCS の 73 歳以上のデータを4チームの統合データに追加
2012.12	EASS 2010 統合データ公開	East Asian Social Survey Data Archive から
2013.3	本書の刊行	

■ 調査の内容

このようにして完成したモジュールは，JGSS 研究センターのウェブサイトで公開している（http://jgss.daishodai.ac.jp/surveys/sur_eass2010.html）。組み込まれた項目は下記の通りである。モジュールの各項目が4チームのそれぞれの調査票のどの設問と対応しているかについては，巻末の対応表を参照されたい。EASS 2010 の調査概要を日本語で整理した資料としては，『East Asian Social Survey：EASS 2010

Health Module Codebook』（大阪商業大学JGSS研究センター編，2012）が刊行されているので，参照されたい。このコードブックは，JGSS研究センターのウェブサイトで閲覧し，ダウンロードすることができる（http://jgss.daishodai.ac.jp/research/codebook/EASS2010HealthModuleCodebook.pdf）。

A. 健康状態（Health Status）：主観的健康状態 *，日常生活の困難 *（適度の活動，階段をのぼる），身体的健康の問題 *（ふだんの活動ができない，内容によりふだんの活動ができない），精神的健康の問題 *（ふだんの活動ができない，ふだんの活動に集中できない），痛みによる仕事の困難 *，精神的健康 *（おちついた気分，活力にあふれる，おちこんだ気分），健康問題による人づきあいの困難 *，絶望感，慢性的な病気の有無，慢性的な病気の種類（高血圧，糖尿病，心血管疾患，呼吸器疾患など），身長，体重
*2009年に認定NPO法人健康医療評価研究機構が開発した「SF健康調査票SF-12v2™」をライセンス契約のうえ使用している。

B. 健康行動（Health Behavior）：喫煙頻度，飲酒頻度，運動頻度，健康診断の受診経験

C. 医療（Medical Care）：医療の受診経験，医療不安（必要な時に受けられない，医療費を払えない），医師の診断を控えた経験，医師の診断を控えた理由（待ち時間が長い，費用がかかる，病院が近くにない，どの病院に行ったらよいかわからない，交通手段がない，病院に行くのが好きではない，忙しくて時間がない，病院に行くほどの病気・ケガではないと判断した，保険が使えない，その他）

D. 医療保険・社会保障（Medical Insurance/Social Security Insurance）：医療保険への加入状況

E. 代替医療（Alternative Medicine）：東洋医療の経験（鍼・灸，漢方薬，指圧，マッサージ）

F. 社会的サポート・信頼（Social Support/Social Trust）：心配事を聞いてくれた人・経済的な面で助けてくれた人・その他の手助けをしてくれた人の有無と続き柄（同居家族，その他の家族，職場の同僚，近所の人，友人，専門職の人，その他），他人への信頼感

G. 環境（Environment）：大気汚染，水質汚染，騒音被害，近隣環境（運動に適している，新鮮な果実や野菜が手にはいる，公共施設が整っている，安心して生活ができる，互いに気にかけている，手助けしてくれる）

H. 疫学（Epidemiology）：インフルエンザ予防接種の経験，新型インフルエンザの大流行への不安

I. 介護（Family Care Need and Care Management）：介護を必要とする家族の有無，家族の主な介護者が回答者であるかどうか

J. 加齢への不安（Worries about Aging）：自分で自分のことができなくなる不安，自分のことを他の人に決めてもらわなくてはならなくなる不安，経済的に依存しなくてはならなくなる不安

K. 耽溺行動（Addiction）：回答者と同居家族の飲酒・喫煙・ギャンブル・ゲーム

L. 体型（Body Shape）：現在の体重に対する意識，現在の体型に対する意識

このほか，対象者や配偶者，対象者の両親の基本属性に関する各国・地域共通の変数（Standard Background Variables）として，以下のものを尋ねている。

●対象者について：性別，年齢，婚姻状態，宗教，階層帰属意識，市郡規模，居住地域，幸福感，教育年数・在学の有無，就労状況（従業上の地位，フルタイム／パートタイムの別，就労時間，非就労の場合の理由，職種，正規／非正規の別，公共／民間の別），収入（主な仕事からの収入・主な仕事以外からの収入，世帯収入，主観的な世帯収入の水準），世帯人数，同居家族，子どもの数

●配偶者について：年齢，教育年数・在学の有無，就労状況（従業上の地位，フルタイム／パートタイムの別，就労時間，非就労の場合の理由，職種，正規／非正規の別，公共／民間の別），収入（主な仕事からの収入・主な仕事以外からの収入）

●両親について：教育年数

■ 調査の方法

健康モジュールを組み込んで，4チームが実施した調査の概要は，表1-3の通りである。若干の違いはあるものの，各国・地域の成人を統計的に代表する無作為標本が抽出されている。ただし，調査対象者の年齢幅が若干異なる。日本では20-89歳であるが，韓国・中国・台湾では，18歳以上を対象としている。中国では，選挙権年齢と成人年齢はともに18歳であり，韓国では，選挙権年齢は19歳，成人年齢は20歳である。台湾では，日本と同様に，選挙権年齢も成人年齢も20歳である。10歳刻みで回答者の年齢層をわけると，表1-4のようになる。それぞれの国・地域の年齢幅が異なるデータを比較することはむずかしいので，本書では分析対象を20-89歳に限定している。この年齢幅は，すべての国・地域で調査されている範囲である。

調査方法の詳細については，前述した『EASS 2010 Health Module Codebook』（大阪商業大学JGSS研究センター編，2012）のⅠ.4に各国・地域のStudy Description Form（調査概要）を，Ⅰ.5にStudy Monitoring Questionnaire（調査方法の詳細）をそれぞれ掲載しているので，参照されたい。

表1-5には，健康モジュールの作成と調査の実施に関わったすべての研究者を挙げている。

表1-3 各国・地域が実施した調査の概要

	日本	韓国	中国	台湾
調査名	JGSS	KGSS	CGSS	TSCS
実施時期	2010年2〜4月	2010年6月〜8月	2010年7月〜12月	2011年7月〜11月 2012年2月〜4月
調査方法	面接法と留置法の併用	面接法	面接法	面接法
調査対象	20〜89歳の男女	18歳以上の男女	18歳以上の男女	18歳以上の男女
抽出方法	層化2段無作為抽出	層化3段無作為抽出	層化3段無作為抽出	層化3段無作為抽出
計画標本	4,500	2,500	5,370	4,424
有効回答数	2,496	1,576	3,866	2,199
回収率*	62.1%	63.0%	72.0%	49.7%

* 各チームが報告している値に基づいており，算出方法は異なる。詳細については，『East Asian Social Survey：EASS 2010 Health Module Codebook』（大阪商業大学JGSS研究センター編，2012）のI.4 Study Description Formを参照のこと。

表1-4 年齢分布（全サンプル）

	19歳以下	20-29歳	30-39歳	40-49歳	50-59歳	60-69歳	70歳以上	わからない	合計（人）(%)
日本	0	236	381	403	428	540	508	0	2,496
	0.0%	9.5%	15.3%	16.1%	17.1%	21.6%	20.4%	0.0%	100.0%
韓国	43	252	370	360	219	156	169	7	1,576
	2.7%	16.0%	23.5%	22.8%	13.9%	9.9%	10.7%	0.4%	100.0%
中国	64	495	738	944	753	503	368	1	3,866
	1.7%	12.8%	19.1%	24.4%	19.5%	13.0%	9.5%	0.0%	100.0%
台湾	65	389	384	406	376	321	258	0	2,199
	3.0%	17.7%	17.5%	18.5%	17.1%	14.6%	11.7%	0.0%	100.0%
合計	172	1,372	1,873	2,113	1,776	1,520	1,303	8	10,137
	1.7%	13.5%	18.5%	20.8%	17.5%	15.0%	12.9%	0.1%	100.0%

表1-5　EASS 2010 メンバー一覧（2012年2月時点）

チーム	氏　名		所属機関名・役職名
JGSS	谷岡　一郎	TANIOKA, Ichiro	大阪商業大学 学長・総合経営学部教授
	前田　幸男	MAEDA, Yukio	東京大学社会科学研究所 准教授
	岩井　紀子*	IWAI, Noriko	大阪商業大学 JGSS 研究センター長・総合経営学部 教授
	宍戸　邦章	SHISHIDO, Kuniaki	大阪商業大学 JGSS 研究センター研究員・総合経営学部 准教授
	佐々木　尚之	SASAKI, Takayuki	大阪商業大学 JGSS 研究センター 主任研究員
	小島　宏**	KOJIMA, Hiroshi	早稲田大学社会科学総合学術院 教授
	仁田　道夫	NITTA, Michio	国士舘大学経営学部 教授
	村田　千代栄	MURATA, Chiyoe	浜松医科大学健康社会医学 助教
	中谷　友樹	NAKAYA, Tomoki	立命館大学文学部 准教授
	竹上　未紗	TAKEGAMI, Misa	国立循環器病研究センター研究開発基盤センター予防医学・疫学情報部 研究員
	山本　洋介	YAMAMOTO, Yosuke	京都大学大学院医学研究科 特定講師
	埴淵　知哉	HANIBUCHI, Tomoya	日本学術振興会 PD 研究員（元大阪商業大学 JGSS 研究センター ポスト・ドクトラル研究員）
	三輪　加奈	MIWA, Kana	釧路公立大学経済学部 講師（元大阪商業大学 JGSS 研究センター ポスト・ドクトラル研究員）
	野崎　華世	NOZAKI, Kayo	大阪商業大学 JGSS 研究センター ポスト・ドクトラル研究員
KGSS	金　相旭	KIM, Sang-Wook	成均館大学社会学部 教授・Survey Research Center（SRC）所長
	金　碩鎬	KIM, Seokho	成均館大学社会学部 助教授・SRC KGSS 事務局長
	朴　宰賢	PARK, Jae-Hyun	成均館大学医学部 助教授
	金　知範	KIM, Jibum	シカゴ大学 National Opinion Research Center, リサーチサイエンティスト
	金　昭姙	KIM, So Im	成均館大学 SRC 研究員
	金　鍾秀	KIM, Jong Su	成均館大学 SRC 研究員
CGSS	邊　燕杰	BIAN, Yanjie	ミネソタ大学社会学部教授 西安交通大学人文社会科学学院 院長・教授 実証社会科学研究所（IESSR）所長
	李　路路	LI, Lulu	中国人民大学社会学系 教授
	黄　善國	WONG, Raymond	香港科技大学社会科学部 主任兼教授
	郝　大海	HAO, Dahai	中国人民大学社会学系 教授
	王　衛東	WANG, Weidong	中国人民大学社会学系 副教授
	楊　菊華	YANG, Juhua	中国人民大学人口学系 教授
TSCS	章　英華	CHANG, Ying-Hwa	中央研究院社會學研究所 研究員
	張　苙雲	CHANG, Ly-Yun	中央研究院社會學研究所 兼任研究員
	傅　仰止	FU, Yang-Chih	中央研究院社會學研究所 研究員
	杜　素豪	TU, Su-Hao	中央研究院人文社會科學研究中心調査研究專題中心 副研究員
	陳　端容	CHEN, Duan-Rung	國立臺灣公共衛生學院醫療機構管理研究所 副教授
	許　甘霖	HSU, Kan-lin	國立成功大學公共衛生研究所 助理教授
	翁　慧卿	WENG, Hui-ching	義守大學健康管理學系 教授
	陳　麗光	CHEN, Li-kwang	國衛院衛生政策研發中心 副研究員
	龍　世俊	LUNG, Shih-Chun	中央研究院環境變遷研究中心 副研究員
	蔡　慈儀	TSAI, Tzu-I	國立陽明大學護理學院 副教授
	王　維邦	Wang, Wei-Pang	東海大學社會學系 助理教授

*EASS 事務局長（2008-2009）　　**EASS 2010 Convener

1.2 回答者の基本属性

調査項目の集計・分析に先立ち，各国・地域の対象者の基本的な属性（性別・年齢・社会階層・収入・地域・学歴・就業状態）についてみてみよう。

本書における分析対象は 20-89 歳の男女である。図 1-1 は，年齢の分布を 10 歳ごとに示している。80 歳以上の回答者が少ないため，70 歳から 89 歳までは 1 つの年齢群にまとめた。日本では 50 歳以上の回答者が全体の半分以上を占めており，東アジアでもっとも高齢化が進んでいることがみてとれる。台湾は全体的にバランスが取れているが，韓国では 30 歳代から 40 歳代が多く，中国では 20 歳代の若年層が日本に次いで少ない。これらの特徴は各国・地域の人口構成に類似しているものの，EASS のサンプルは，若年層が少なく中高年層が多い傾向がある。若年層で回収率が低く中高年層で高いという，社会調査における共通の課題を抱えているようである。

表 1-6 は，本書で分析対象としているサンプルの情報をまとめたものである。サンプルの規模は，中国がもっとも大きく，日本，台湾，韓国の順に少なくなる。上述したように，日本のサンプルの平均年齢は 4 カ国・地域の中でもっとも高く，53.7 歳である。性別については，すべての国・地域で女性の方が若干多い。後で詳しくみるように，学校教育を受けた年数の平均は，男女ともに日本と韓国において長く，中国でもっとも短い。また，教育年数の男女差をみると，日本が 0.3 年でもっとも小さく，中国は 1.3 年，韓国は 1.5 年，台湾は 1.6 年である。

次に，階層帰属意識についてみてみよう。社会を 10 段階の層（最下層が 1，最上層が 10）に分けたと

図 1-1 年齢分布（分析対象：20-89 歳）（％）

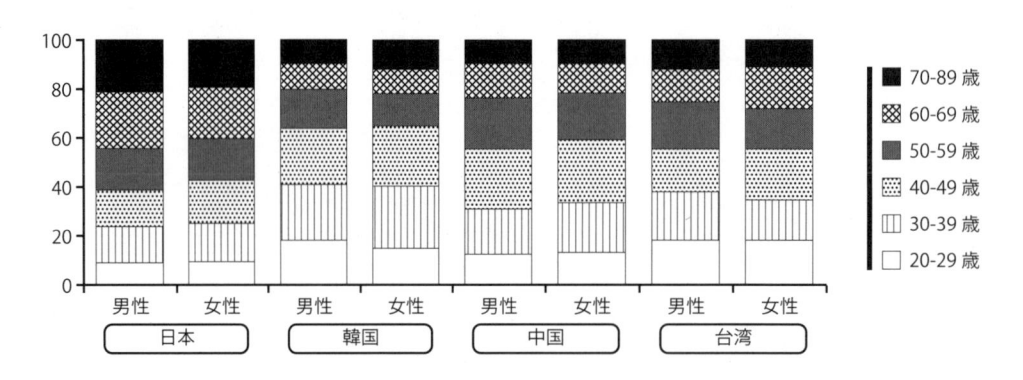

表 1-6 回答者（分析対象：20-89 歳）

		日本	韓国	中国	台湾
サンプルサイズ		2,496	1,523	3,798	2,124
年齢		53.7	45.9	47.6	47.4
性別（女性）		53.8%	52.7%	51.7%	51.0%
教育年数	男性	12.8	12.7	9.1	12.2
	女性	12.5	11.2	7.8	10.6

図 1-2 階層帰属意識

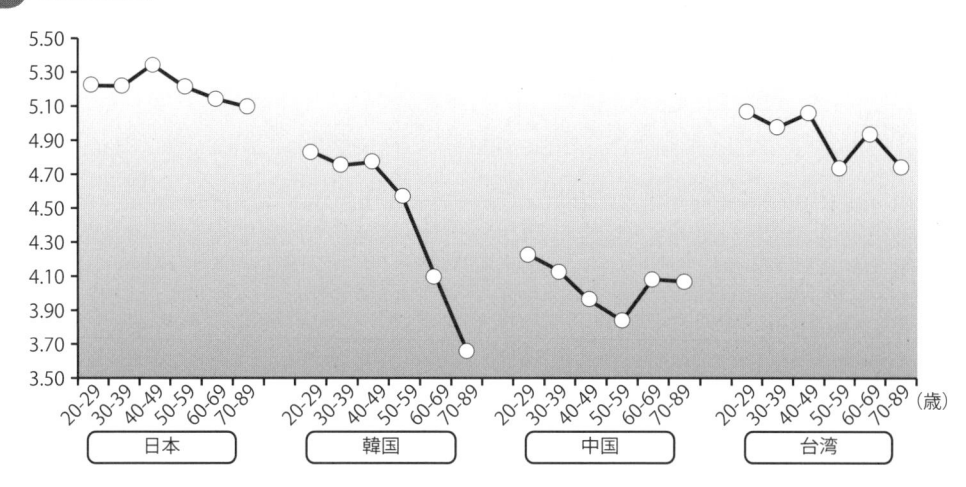

き，自分が属していると認識している階層を尋ねた結果が図 1-2 である。グラフの数値は，10 歳刻みの年齢層ごとの平均値である。日本は，年齢による差がもっとも小さく，いずれの年齢層においても，社会の中間に属していると認識している。台湾と韓国では，高齢になるほど階層帰属意識が低下する傾向があり，とくに韓国の 60 歳代以上で顕著である。また，中国は U 字型であり，50 代が底になっている。

図 1-3 は，対象者の就業状態の分布を示している。男性については，日本・韓国・台湾では賃金労働者の割合が半数前後を占め，中国では，従業員をもたない自営業主の割合が他の国・地域に比べて多いことが特徴として挙げられる。一方，女性についてみると，賃金労働者の割合が，日本と台湾で半数近くを占め，中国でもっとも少ない。非就業者の割合は，韓国では半数以上におよび，日本でも半数近い。なお，男性の場合と同様に，従業員をもたない自営業主の割合は中国の女性に多い。中国の男女に共通するこの傾向は，就業者のうち約 4 割が農林漁業に従事していることによる。

図 1-3 就業状態

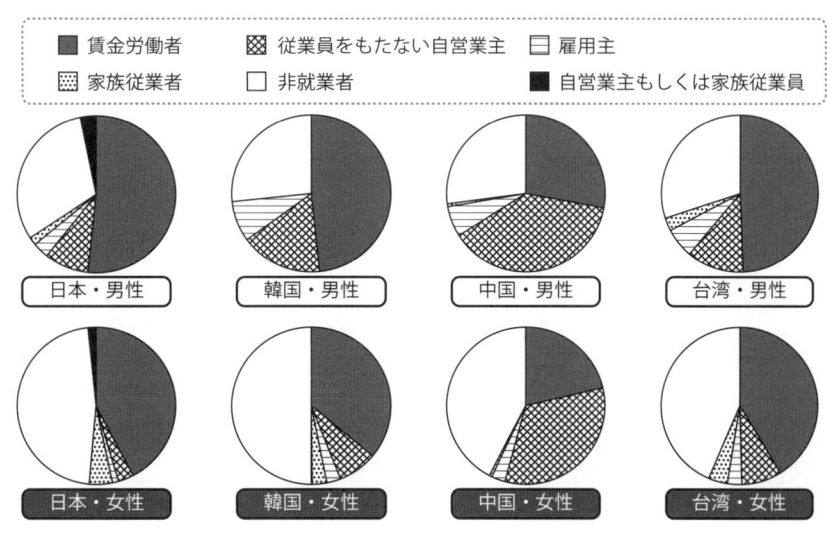

図 1-4　性別・年齢別週当たり平均労働時間

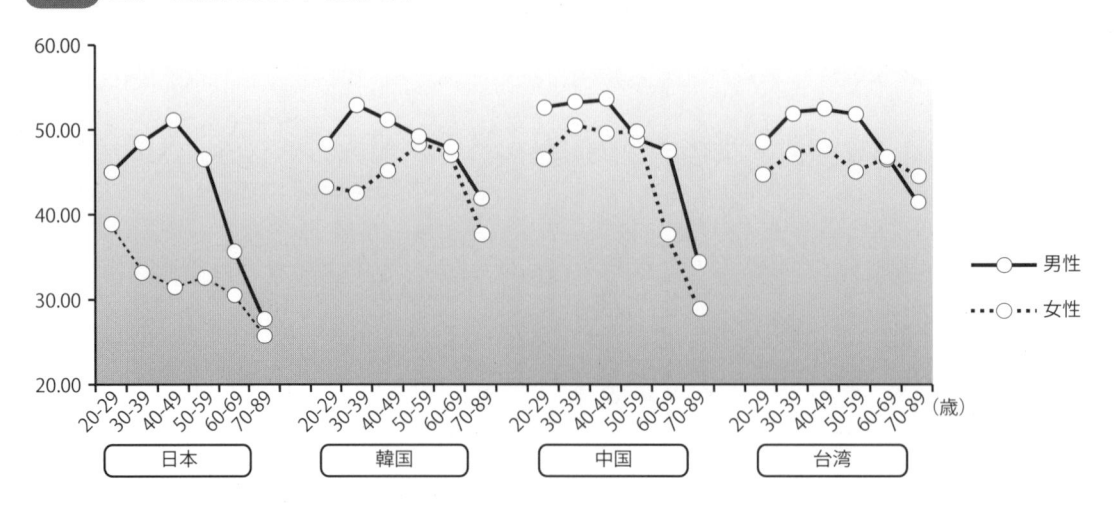

次に，仕事に就いている対象者の週当たりの労働時間を性・年齢別にみてみよう（図1-4）。男性については，日本では60歳代から労働時間が急激に短くなるのに対し，韓国と中国では70歳代，台湾では60歳代から労働時間が減少するものの，減少幅は日本ほど大きくない。ケース数が少ないため，解釈には注意を要するが，韓国と台湾では，70歳以上であっても，週当り40時間以上労働している。

女性については，日本では年齢が上がるにつれて労働時間が短い傾向がある。一方韓国では，仕事に就いているケースが少ない70歳以上を除くと，年齢が上がるにつれて労働時間が長く，台湾では年齢による変化はあまりない。中国では，男性同様に，60歳代以降の労働時間が減少する。日本は，労働時間の男女差がもっとも大きく，正規雇用と非正規雇用の男女差が顕著に表れている。

就業に関連するものとして，世帯収入についてのデータをみてみよう。図1-5は，自分の世帯の収入が世間一般の平均と比べてどれほど多いか，または少ないかを尋ねた結果である。どの国・地域でも，「ほぼ平均」と答える人の割合がもっとも多く，とくに台湾では66.1％の人がほぼ平均であると答えており，収入についての中流意識が強いといえる。また，日本と韓国では，「平均より多い」と答える人の割合が，中国と台湾よりも多い一方で，「平均よりかなり少ない」と答える人の割合も多く，中国と台湾よりも格差が広がっていることがうかがえる。

図1-5では，相対的な世帯収入の意識に着目したが，これは周りの人々と比較した主観的な収入である。では，実際の世帯収入はどうであろうか。図1-6は，世帯収入の分布をみたものである。各

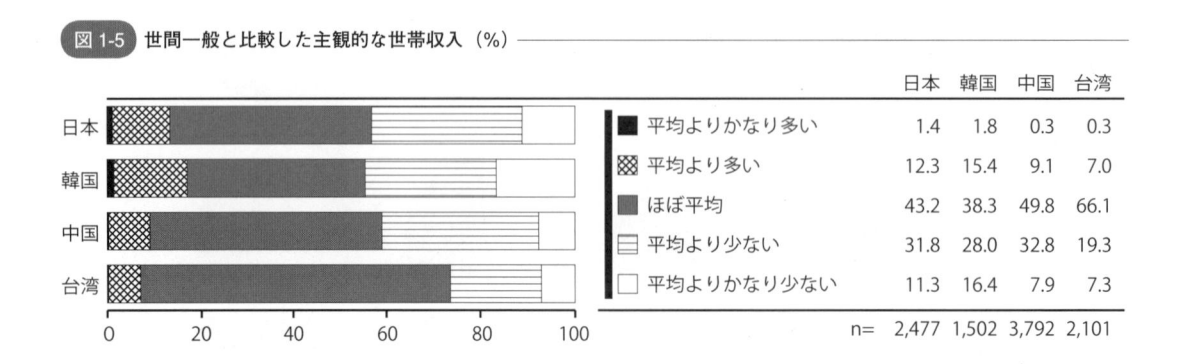

図 1-5　世間一般と比較した主観的な世帯収入（％）

	日本	韓国	中国	台湾
平均よりかなり多い	1.4	1.8	0.3	0.3
平均より多い	12.3	15.4	9.1	7.0
ほぼ平均	43.2	38.3	49.8	66.1
平均より少ない	31.8	28.0	32.8	19.3
平均よりかなり少ない	11.3	16.4	7.9	7.3
n=	2,477	1,502	3,792	2,101

図 1-6　実際の世帯収入

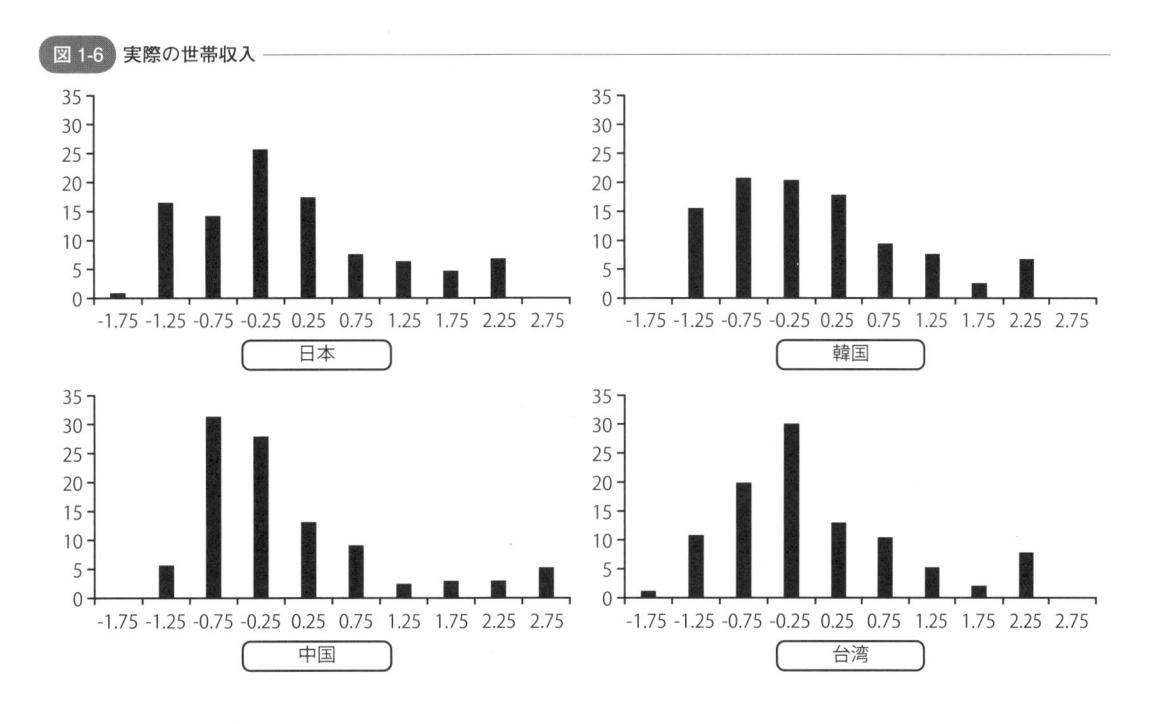

（日本／韓国／中国／台湾の4つのヒストグラム）

　国・地域によって通貨単位のみならず，回答形式（日本と台湾ではあてはまるカテゴリーから1つを選択してもらう選択肢法であり，韓国と中国では金額を直接記入してもらう自由回答法）が異なるので，比較できるよう工夫した。具体的には，カテゴリーの場合は中央値を採用し，各国・地域の 95 パーセンタイルを上限値として固定した。その上で，平均値との差を標準偏差で除して標準化した z 値を算出した。0 は平均を表し，数値は平均からどれほど離れているかを表す。マイナスは平均より少ないことを表す。その結果，いずれの国・地域においても，平均収入より少ない対象者の割合が多いものの，その分布の形状が異なる。日本と台湾では，世帯収入が平均より若干少ないグループがもっとも多く，そこから両側に離れるにつれて割合が徐々に減る三角形の分布をしている。ただし，日本では，世帯収入が平均より 1 標準偏差以下の低所得者層の割合が多い。韓国では，ピークが分散しているものの，世帯収入が平均より少ない割合が多い。中国では，平均世帯収入より少ない対象者が多い半面，2.5 標準偏差以上の，平均収入よりかなり多い対象者もいる。しかしながら，1 標準偏差以下の，極端な低所得者は東アジアの中でもっとも少ない。

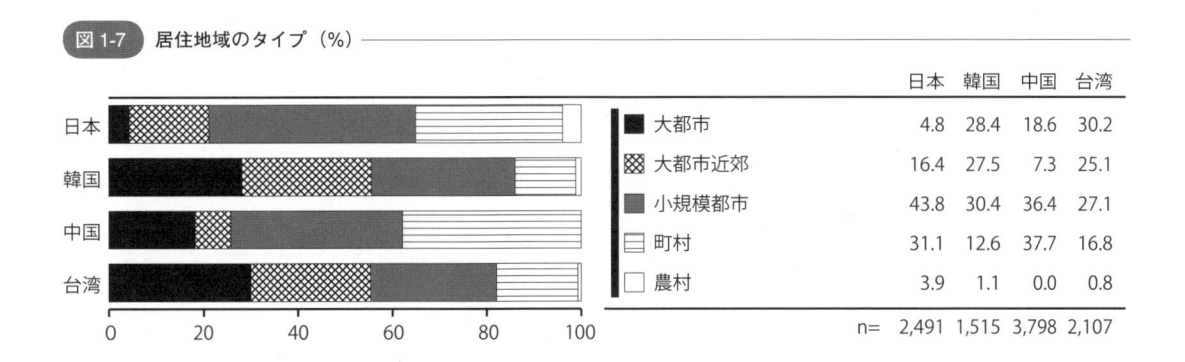

図 1-7　居住地域のタイプ（％）

	日本	韓国	中国	台湾
■ 大都市	4.8	28.4	18.6	30.2
▩ 大都市近郊	16.4	27.5	7.3	25.1
▦ 小規模都市	43.8	30.4	36.4	27.1
▭ 町村	31.1	12.6	37.7	16.8
□ 農村	3.9	1.1	0.0	0.8
n=	2,491	1,515	3,798	2,107

では，対象者はどのような地域に住んでいるのだろうか。図1-7は現在の居住地域のタイプを尋ねた結果である。どの国・地域でも小規模都市の割合が多いが，韓国と台湾では大都市の割合が多い。また，日本では農村と答える人が3.9%いるが，その他の国・地域では1%前後である。さらに，町村と答える人の割合は，日本と中国に多い。

最後に，対象者の学歴をみておこう。図1-8は対象者の最終学歴を示している。日本・韓国・台湾における高学歴（大学院，大学，短期大学）修了者の割合に比べて，中国ではその割合が低い。大学卒業以上の割合を比べると，韓国が31.4%であり，台湾の27.2%，日本の23.2%を上回り，韓国の教育熱の高さがうかがえる。一方で，義務教育を受けていない人の割合に着目すると，日本の0%が際立っており，長年にわたって国民全体に教育が行き渡っていることがうかがえる。

図1-9は，年齢別の平均教育年数を男女別にみたものである。いずれの国・地域においても，男女ともに，概ね若いほど平均教育年数が長く，高学歴化が進んだことが分かる。ただし，日本では，20歳代と70-80歳代の間に3年から4年の差しかないが，他の国・地域では，6年から12年の差があり，過去半世紀の間に高学歴化が急速に進んだことがうかがえる。とくに韓国と台湾の教育年数の増加は顕著であり，20歳代や30歳代では日本と同じかそれより長いほどである。また，中高年層では男女差が大きかったが，若い世代ほど縮小傾向にあり，平均教育年数の男女間格差がなくなってきている。

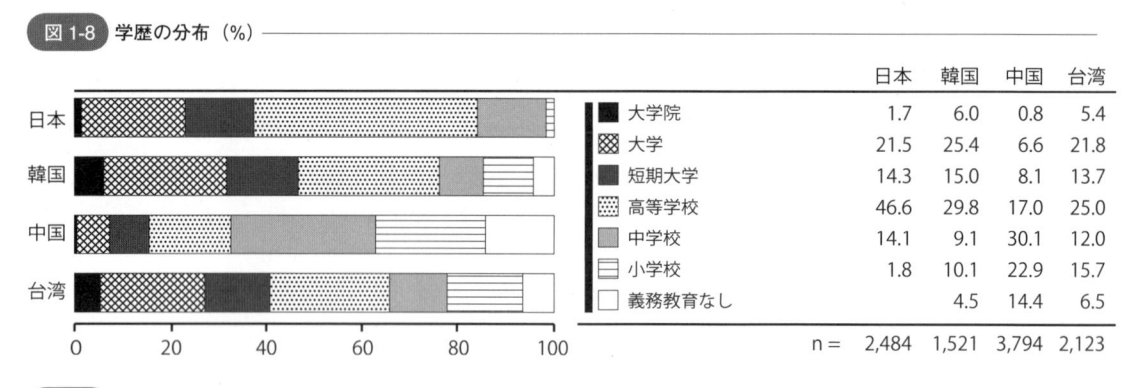

図1-8 学歴の分布（%）

	日本	韓国	中国	台湾
大学院	1.7	6.0	0.8	5.4
大学	21.5	25.4	6.6	21.8
短期大学	14.3	15.0	8.1	13.7
高等学校	46.6	29.8	17.0	25.0
中学校	14.1	9.1	30.1	12.0
小学校	1.8	10.1	22.9	15.7
義務教育なし		4.5	14.4	6.5
n =	2,484	1,521	3,794	2,123

図1-9 性別・年齢別平均教育年数

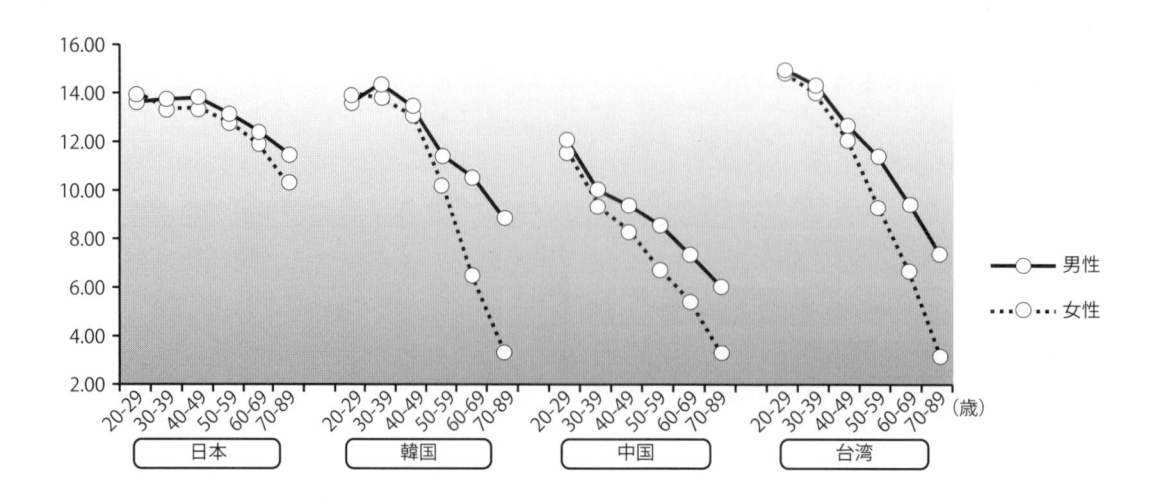

第 2 章
健康行動

2.1 タバコを吸いますか

まず第2章では，喫煙や飲酒，運動といった生活習慣についてみていこう。先進国を中心に，現代の多くの国・地域では，がん・脳卒中・心臓病といった生活習慣病が死因の上位を占める。その名前からも分かるように，これらの病気はタバコや運動不足といった健康に好ましくない生活習慣によってリスクが高まることが知られている。では，そのような健康に関連する生活習慣は，国・地域や年齢，性別によってどのように違うのだろうか。

■ 東アジアに共通する喫煙の性差—男性で高く女性で低い喫煙率

図2-1aは，喫煙の頻度を「毎日」から「吸っていない」まで5段階で尋ねた結果である。毎日喫煙する人は，中国（27.5%），韓国（24.9%），日本（21.2%）の順に多く，台湾（15.7%）がもっとも少ない。週に数回〜年に数回以下といった断続的な喫煙者の割合は非常に小さく，多くの喫煙者は毎日タバコを吸っている。また，喫煙率（頻度に関わらず吸っている人の割合）を性・年齢別にグラフ化した図2-1bからは，男性で高く女性で低いという喫煙率の性差が読み取れる。OECD Health Dataなどをみても，このような大きな性差は欧米諸国ではあまりみられない。それに比べると年齢による差は大きくないものの，日本では高齢になるほど喫煙率が低下する傾向がやや強く，健康状態や健康志向によって禁煙に向かう傾向が反映されているのかもしれない。

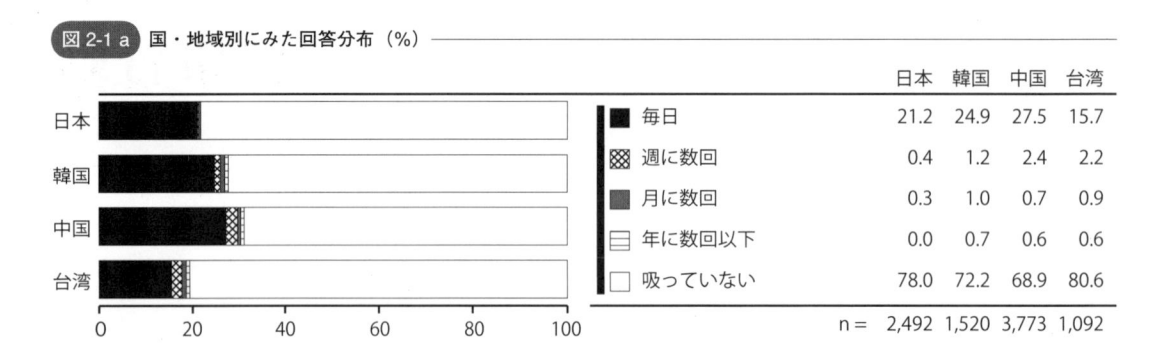

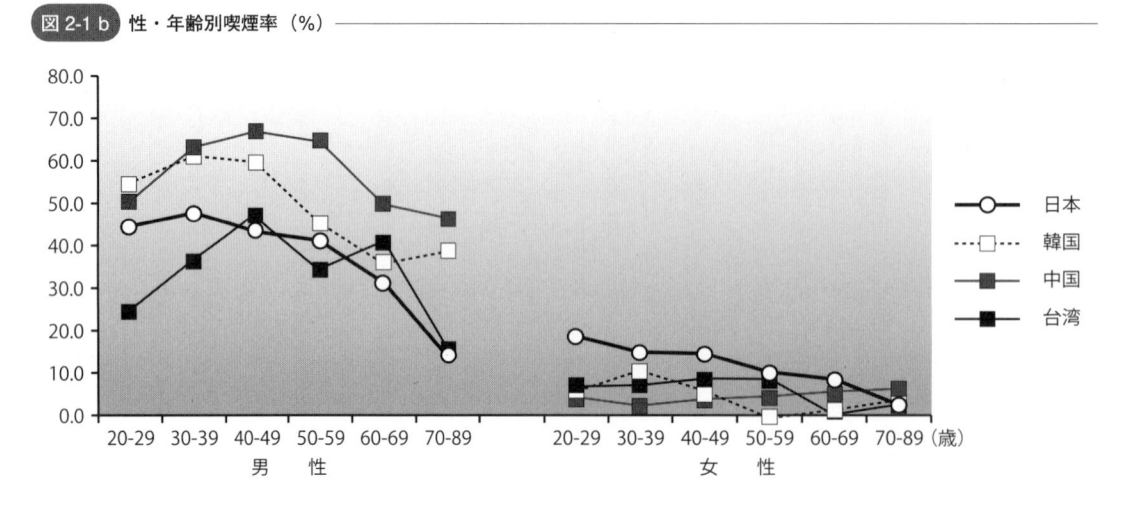

図 2-1 a 国・地域別にみた回答分布（%）

	日本	韓国	中国	台湾
毎日	21.2	24.9	27.5	15.7
週に数回	0.4	1.2	2.4	2.2
月に数回	0.3	1.0	0.7	0.9
年に数回以下	0.0	0.7	0.6	0.6
吸っていない	78.0	72.2	68.9	80.6
n =	2,492	1,520	3,773	1,092

図 2-1 b 性・年齢別喫煙率（%）

2.2　何年くらいタバコを吸っていますか

　喫煙が健康に悪い影響を与えることは広く知られている。しかし，タバコには依存性があり，本人の意思だけで止めることは簡単ではない。タバコ税の増税や，施設・時間などによる分煙・禁煙，さらに禁煙を補助する取り組みも各国・地域で進められているものの，禁煙に失敗する人は多く，結果的に長期間タバコを吸い続けている人は依然として多い。それでは実際に，タバコを吸っている人はどのくらいの期間，喫煙を続けているのだろうか。

■ 男性でとくに高い喫煙の継続性

　EASS では，喫煙状況に加えて，喫煙年数についても尋ねている。図 2-2 は，喫煙年数を性・年齢別に集計した結果を示したグラフである。男性については，国・地域を問わず一貫した右上がりの傾向がみられ，年齢との差を取ってみると，概ね 20 代で喫煙を開始しそれ以降は吸い続けていることがうかがえる。言い換えると，年齢を重ねてから喫煙を開始するケースは少ない。女性についても，日本・韓国・中国においては，年齢層が高いほど喫煙年数も長くなる傾向がみられる。女性の喫煙者自体がかなり少ないため解釈には注意が必要となるが，このデータからは一度タバコを吸い始めた人がその後も継続的に喫煙していることがうかがえる。

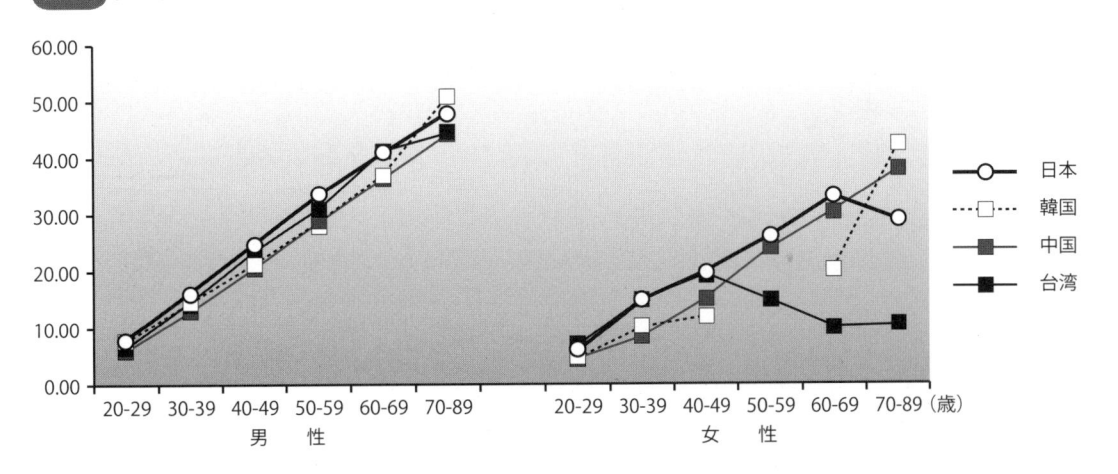

図 2-2　性・年齢別にみた平均喫煙年数

2.3 タバコを「吸い過ぎだ」と言われますか

　国・地域を問わず，喫煙が非常に常習性の高いものであることは 2.1，2.2 からも明らかであった。しかし最近では，タバコが本人や周りの人の健康に与える悪影響について，よく知られるようになっている。家族や友人などから「吸い過ぎだ」と言われた経験がある喫煙者も多いのではないだろうか。「吸い過ぎだ」と認識されるかどうかは，実際にどのくらいの本数・頻度で喫煙しているかだけでなく，周りの人がどの程度タバコを許容するかによっても違ってくる。

■ 国・地域，性別，世代に関係なく，喫煙者は「吸い過ぎだ」と言われる

　図 2-3a は，タバコを「吸い過ぎだ」と言われたことがあるかどうかについて尋ねた結果を示している。台湾の調査はこの質問を含まないため，ここでは日本・韓国・中国の結果についてのみグラフ化している。喫煙率と同じく，「吸い過ぎだ」と言われたことのある人の割合も中国（21.7%），韓国（16.6%），日本（14.8%）の順に多い。その割合から考えると，喫煙者の多くは「吸い過ぎだ」と言われたことがあることがうかがえる。性・年齢別にみた図 2-3b も，概ね，喫煙率を示したグラフ（図 2-1b）に似た分布を示している。国・地域や性別，年齢に関係なく，喫煙者は周りから「吸い過ぎ」と言われているようである。

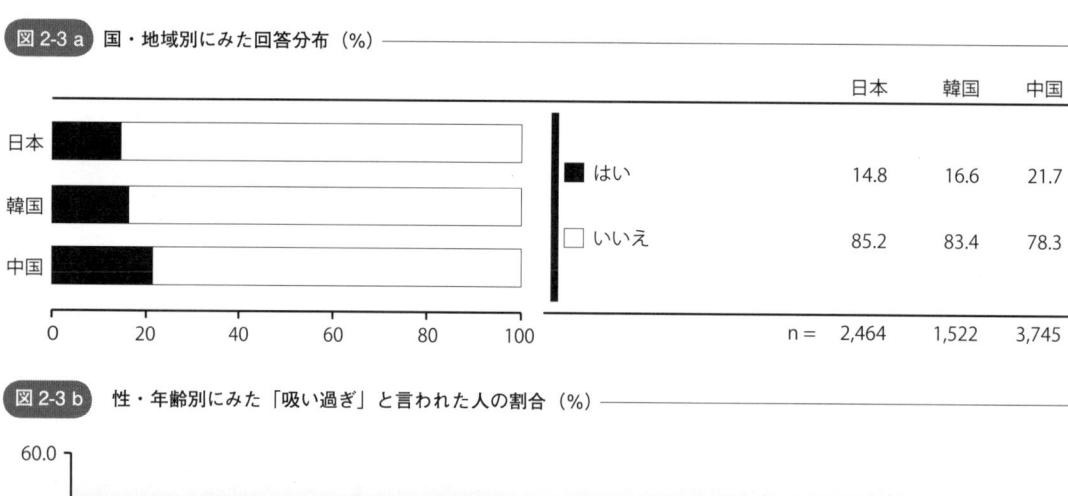

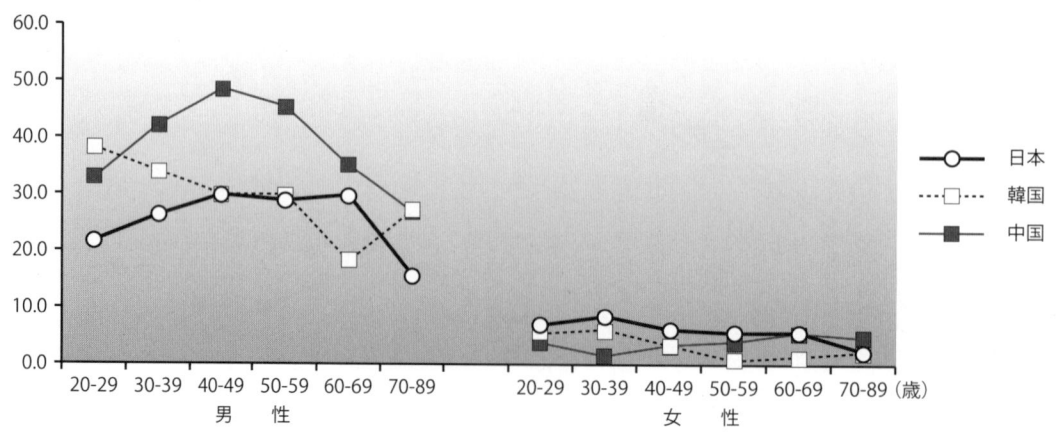

図 2-3 a 国・地域別にみた回答分布（%）

	日本	韓国	中国
はい	14.8	16.6	21.7
いいえ	85.2	83.4	78.3
n =	2,464	1,522	3,745

図 2-3 b 性・年齢別にみた「吸い過ぎ」と言われた人の割合（%）

2.4　タバコを「吸い過ぎている」人はいますか

今度は逆に，回答者がタバコを「吸い過ぎている」と思う人が同居者にいるかどうかをみてみよう。喫煙は本人だけでなく周りの人の健康にも影響するため，「吸い過ぎている」人と一緒に暮らしている人は受動喫煙のリスクがそれだけ高いことを意味する。

■ 女性および20代男性の同居者に多い「吸い過ぎている」人

まず国・地域別にみた回答分布（図2-4a）に大きな違いはみられないが，もっともタバコを「吸い過ぎている」と感じているのは中国である。中国では，19.5%の回答者がタバコを「吸い過ぎている」同居者がいると考えている。性・年齢別にみると（図2-4b），日本・韓国・中国のいずれも，男性より女性で割合が高く，男性に限っては20代の割合が顕著に高くなっている。喫煙率自体に大きな性差があること（図2-1b参照）から，この値は男性の同居者がいるかどうか，という世帯構成を大きく反映したものと考えられる（なお，同居者がいないケースはここでの分析から除いている）。20代男性の場合には同居している父親，女性の場合には30代以降も配偶者に「吸い過ぎている」人が多いものと予想される。

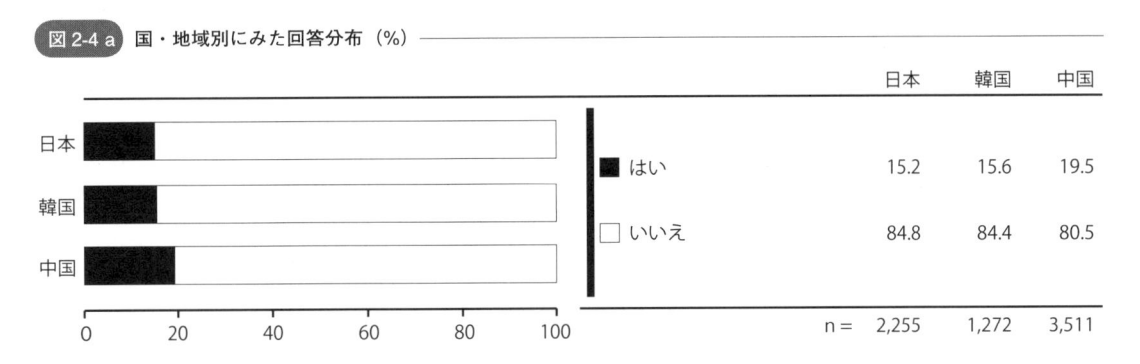

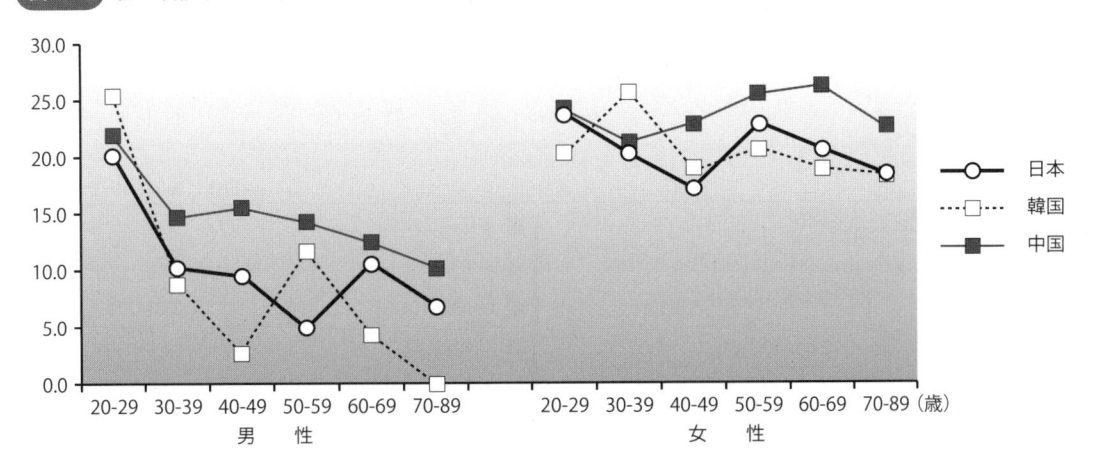

図 2-4 a 国・地域別にみた回答分布（%）

	日本	韓国	中国
■ はい	15.2	15.6	19.5
□ いいえ	84.8	84.4	80.5
n =	2,255	1,272	3,511

図 2-4 b 性・年齢別にみた「吸い過ぎている」人がいると思う人の割合（%）

（凡例：―○― 日本　┄┄□┄┄ 韓国　―■― 中国）

男性／女性　年齢区分：20-29, 30-39, 40-49, 50-59, 60-69, 70-89（歳）

2.5　お酒を飲みますか

　お酒（アルコール含有飲料）を飲むことによって健康に影響があるということは，一般によく知られている。とくに，一度に多くのアルコールを摂取する多量飲酒や，間隔（いわゆる休肝日）を空けずに毎日飲酒を続けることは，健康上のリスクを高めるとされている。

■ 日本男性で際立つ飲酒頻度の高さ

　EASS では飲酒の頻度を，「毎日」から「まったく飲まない」までの 5 段階で尋ねている。図 2-5a は，その分布を国・地域別にグラフ化したものである。国・地域別にみてもっとも飲酒頻度が高いのは日本であり，毎日飲酒する人だけで 20.3% にのぼる。逆にまったく飲まない人は 30.4% であり，これも 4 カ国・地域の中でもっとも少ない。台湾では毎日飲酒する人がわずか 2.8%，中国ではまったく飲まない人が 62.1% に達するなど，日本に比べると飲酒頻度の低さが目立つ。

　図 2-5b は，週当たりの平均日数に換算した飲酒頻度を，性・年齢別に集計した値を示している。換算は，「毎日＝ 7 日／週」，「週に数回＝ 3.5 日／週」，「月に数回＝ 0.5 日／週」，「年に数回以下＝ 0.06 日／週」，「まったく飲まない＝ 0 日／週」として行った。まず，喫煙と同様に，飲酒頻度に関しても，男性で高く女性で低いという性差が非常に大きいことが読み取れる。中国と台湾の女性において飲酒頻度はきわめて低く，習慣的な飲酒はほとんどみられない。日本と韓国では，女性においてもある程度の飲酒頻度がみられるものの，男性のそれとは大きな差がある。年齢別に飲酒頻度をみると，男性では 20 代から上昇を続け，50-60 代でピークを迎える。女性の場合，日本では 40 代，韓国では 20 代でもっとも頻度が高く，比較的若い層において習慣的な飲酒がみられる。

　さらに図 2-5c は，毎日飲酒する人のみに注目し，その割合を性・年齢別に集計した結果をグラフに示したものである。基本的な傾向は平均飲酒日数を示した図 2-5b と変わりないものの，日本男性における飲酒頻度の高さがより際立っている。そして，女性に関しても日本では毎日飲酒する人が一定の割合でいるのに対して，中国・韓国・台湾の女性ではそのような高頻度の飲酒習慣をもつ人はほとんどいない。

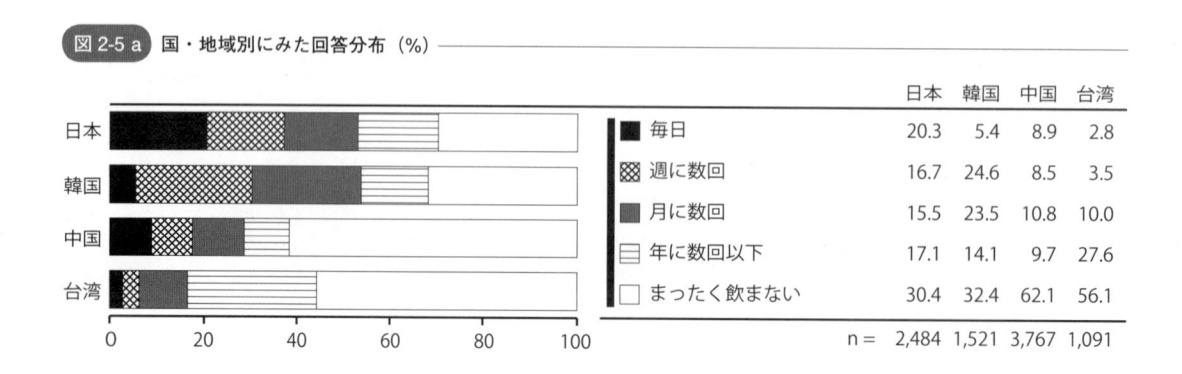

図 2-5 a　国・地域別にみた回答分布（%）

	日本	韓国	中国	台湾
毎日	20.3	5.4	8.9	2.8
週に数回	16.7	24.6	8.5	3.5
月に数回	15.5	23.5	10.8	10.0
年に数回以下	17.1	14.1	9.7	27.6
まったく飲まない	30.4	32.4	62.1	56.1
n =	2,484	1,521	3,767	1,091

第 2 章 健康行動　21

図 2-5 b　性・年齢別にみた週当たり平均飲酒日数

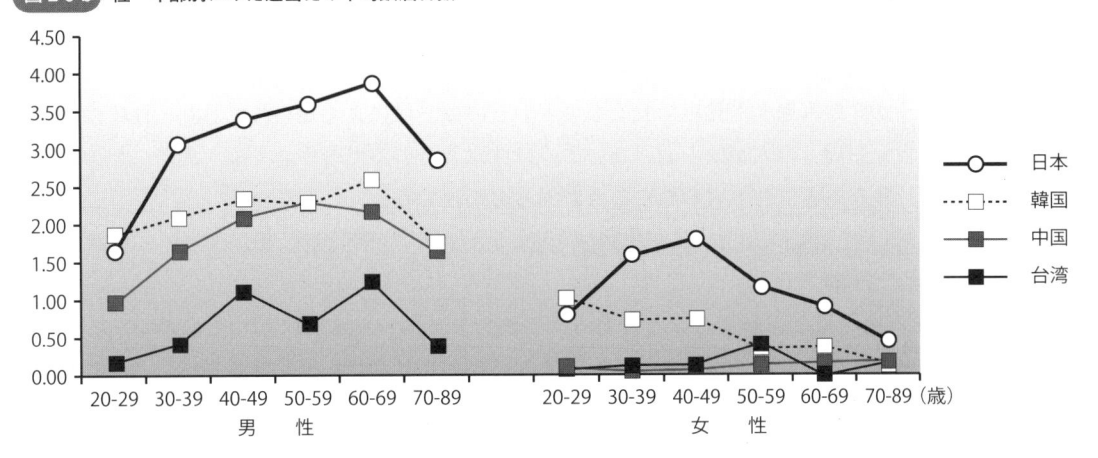

図 2-5 c　性・年齢別にみた毎日飲酒する人の割合（％）

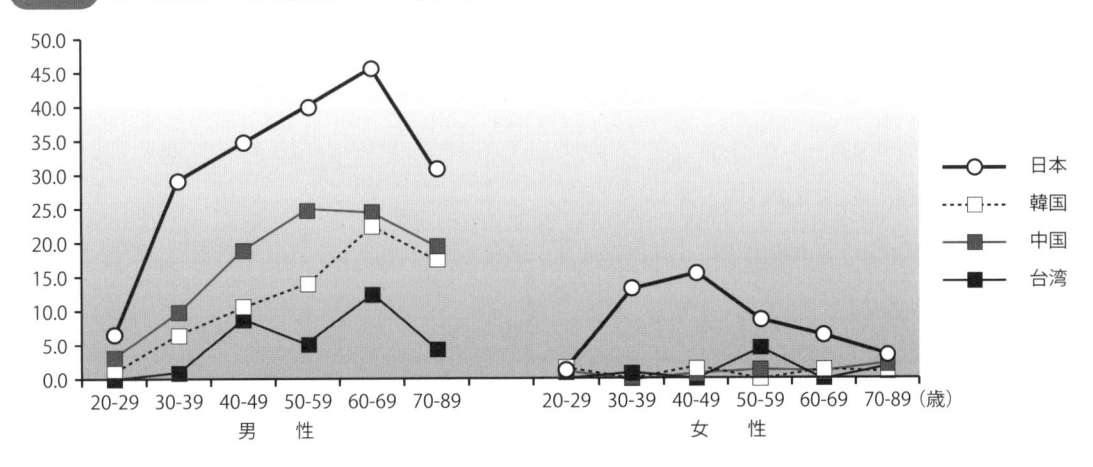

2.6　お酒を「飲み過ぎだ」と言われますか

　タバコと同様に，お酒についても周りから「飲み過ぎだ」と言われたり，誰かにそう言ったりしたことはないだろうか。飲み過ぎが健康に良くないというのは一般によく知られており，健康に関心の高い人であれば自分や周りの人が飲み過ぎないように注意しているだろう。では，実際にどのくらいの人が周りから「飲み過ぎだ」と言われたことがあるのかみてみよう。

■ お酒に寛容な日本？

　図 2-6a は，飲み過ぎだと言われたことのある人の割合を，国・地域別に示したものである。飲酒頻度（2.5 参照）から考えると，日本がもっとも「飲み過ぎだ」と言われそうであるが，実際には韓国（20.6%）でそう言われたことのある人が多く，日本は中国と同じ割合（13.5%）に過ぎない。性・年齢別にみても（図 2-6b），たとえば毎日飲酒する人がほとんどいない韓国女性が日本女性と同じかそれ以上に「飲み過ぎだ」と言われた経験をもっている。このような違いがみられる背景には，飲酒に対する許容度の違いがあるかもしれない。日本では仕事の同僚との飲み会など，飲酒を仕事上の付き合いとみなす文化もある。あるいは，頻度ではなく量によって，飲み過ぎかどうかが判断されるのかもしれない。

図 2-6 a　国・地域別にみた回答分布（%）

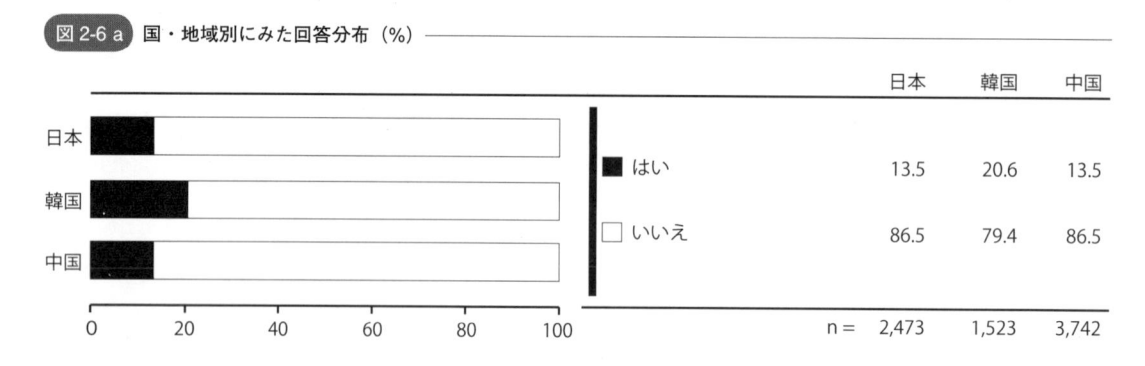

	日本	韓国	中国
はい	13.5	20.6	13.5
いいえ	86.5	79.4	86.5
n =	2,473	1,523	3,742

図 2-6 b　性・年齢別にみた「飲み過ぎだ」と言われた人の割合（%）

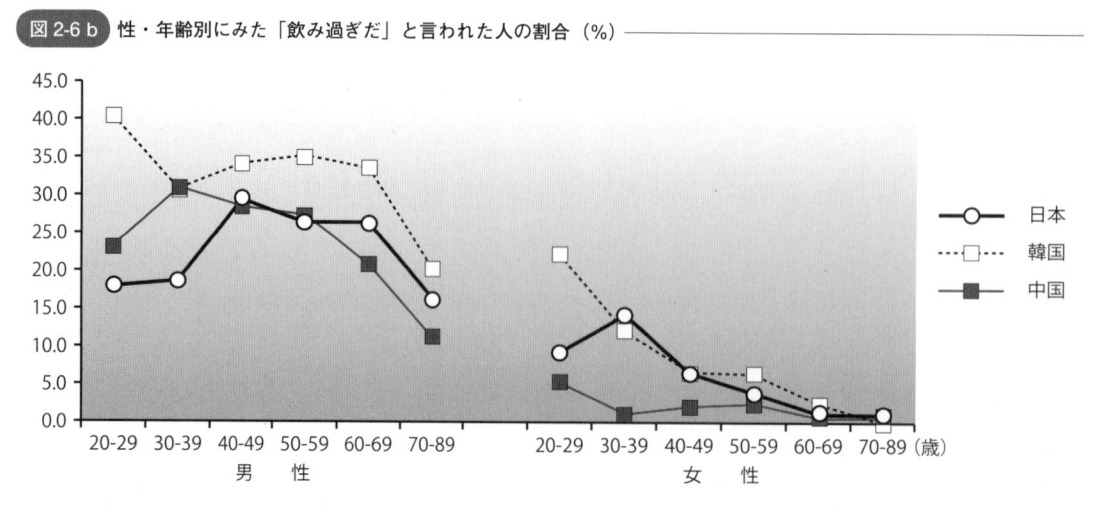

2.7　お酒を「飲み過ぎている」人はいますか

続いて，お酒を飲み過ぎている人が同居者にいるかどうかについてみてみよう。

■ 飲酒の性差を反映した「飲み過ぎている」人の割合

図 2-7a は，同居者に飲酒し過ぎている人がいると回答した人の割合を，国・地域別に集計した結果である。中国（14.3%）・日本（12.7%）・韓国（13.5%）の間に大きな差はみられない。性別・年齢別に集計した結果（図 2-7b）についても，国・地域による明確な違いはみられず，女性および 20 代男性で割合が高い傾向は，喫煙の場合と同じである。喫煙と同様に飲酒においても大きな性差があることから，ここでみられた傾向についても，男性同居者がいるかどうかという世帯構成の影響が強いものと考えられる。

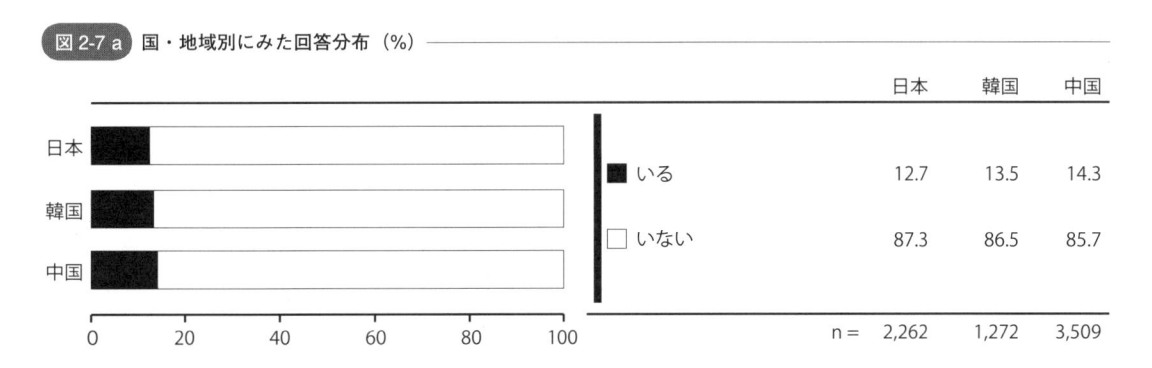

図 2-7 a 国・地域別にみた回答分布（%）

	日本	韓国	中国
いる	12.7	13.5	14.3
いない	87.3	86.5	85.7
n =	2,262	1,272	3,509

図 2-7 b 性・年齢別にみた「飲み過ぎている」人がいると思う人の割合（%）

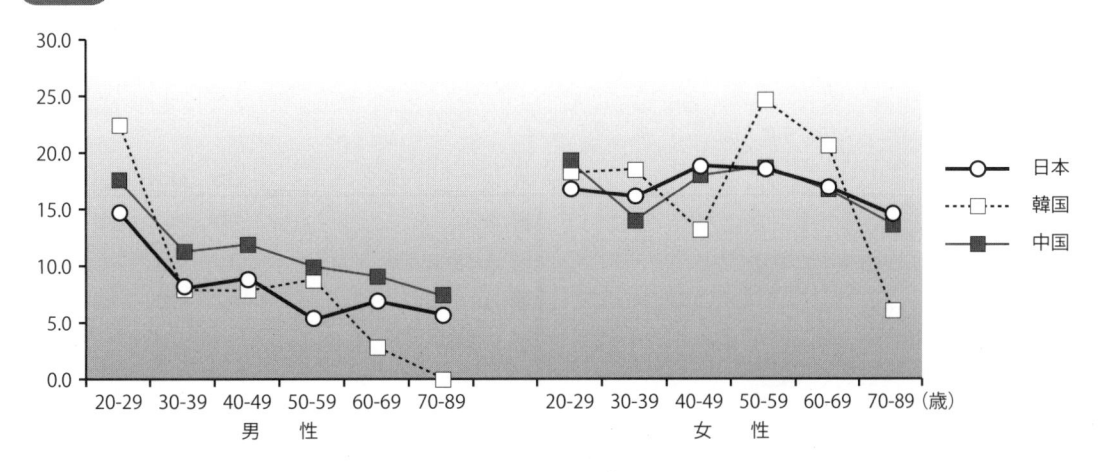

2.8　運動をしていますか

適度な運動が健康に好ましい影響を与えることは多くの研究によって示されている。運動不足が健康によくないことは，多くの人が経験的にも納得するものであろう。しかし同時に，多くの人は時間的・経済的制約などの理由によって，十分な量の運動ができていないことも，よく指摘されるところである。

■ 運動頻度の高い台湾の高齢者，低い日本の若年女性

運動といっても，サッカーや水泳のような激しいものから，ウォーキングなどの軽いものまで強さに相当の幅があり，運動する時間や頻度によっても健康への影響は変わってくる。EASS で尋ねているのは，「汗をかいたり，息が切れるような運動（20分以上）」をどのくらいの頻度で行っているかというものである。

まず図 2-8a は，国・地域別に運動頻度の分布を示したグラフである。運動頻度がもっとも高いのは台湾であり，毎日（24.8%）および週に数回（25.9%）を合わせると過半数に達する。他方で，日本は毎日運動する人の割合が 4.9% にとどまり，台湾に比べると運動頻度が非常に低いことが分かる。ただし，運動をまったくしていない人の割合については，中国（53.1%）のほうが日本よりも高い。

次に図 2-8b には，週当たりの日数に換算した運動頻度の平均値を，性・年齢別に集計した結果を示した。換算は飲酒の場合と同様に，「毎日＝ 7 日／週」，「週に数回＝ 3.5 日／週」，「月に数回＝ 0.5 日／週」，「年に数回以下＝ 0.06 日／週」，「まったくしていない＝ 0 日／週」で行った。性別による運動頻度の差はそれほど明確ではないものの，いずれの国・地域も男性の方が女性よりも若干高い傾向がみられる。年齢層による違いは必ずしも一貫しておらず国・地域によっても異なる分布を示すが，男性では概ね，20 代から低下を続けた後に 60 代で上昇し，女性では 20 代から 60 代にかけて緩やかに上昇を続ける。中国男性を除くと 70 歳以降には再び運動頻度の低下がみられる。

図 2-8c は推奨運動量の基準を満たすかどうかに着目し，週に数回以上の頻度で中–強程度の運動をする人の割合を図に示したものである。性別や年齢層による違いは，平均運動日数の場合と比べて大きく変わらないものの，運動頻度の高い韓国・台湾と，そうではない日本・中国との差が少し明瞭になる。

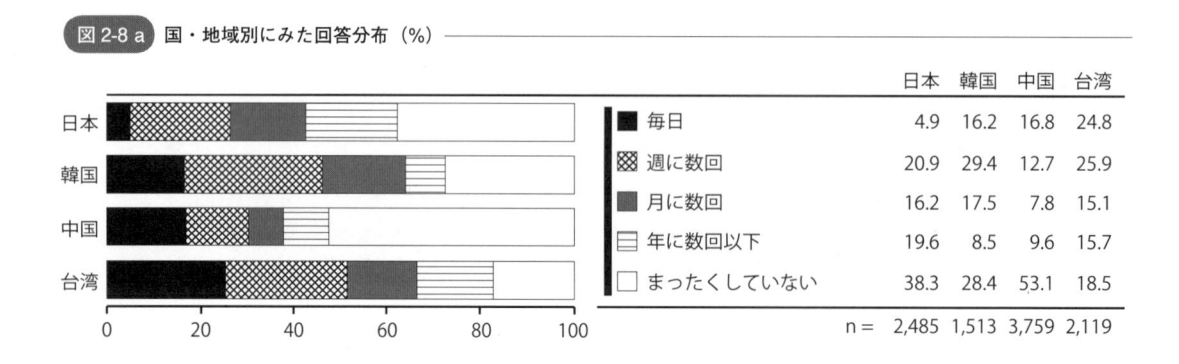

図 2-8 a　国・地域別にみた回答分布（%）

	日本	韓国	中国	台湾
毎日	4.9	16.2	16.8	24.8
週に数回	20.9	29.4	12.7	25.9
月に数回	16.2	17.5	7.8	15.1
年に数回以下	19.6	8.5	9.6	15.7
まったくしていない	38.3	28.4	53.1	18.5
n =	2,485	1,513	3,759	2,119

第 2 章 健康行動　25

図 2-8 b 性・年齢別にみた週当たり平均運動日数

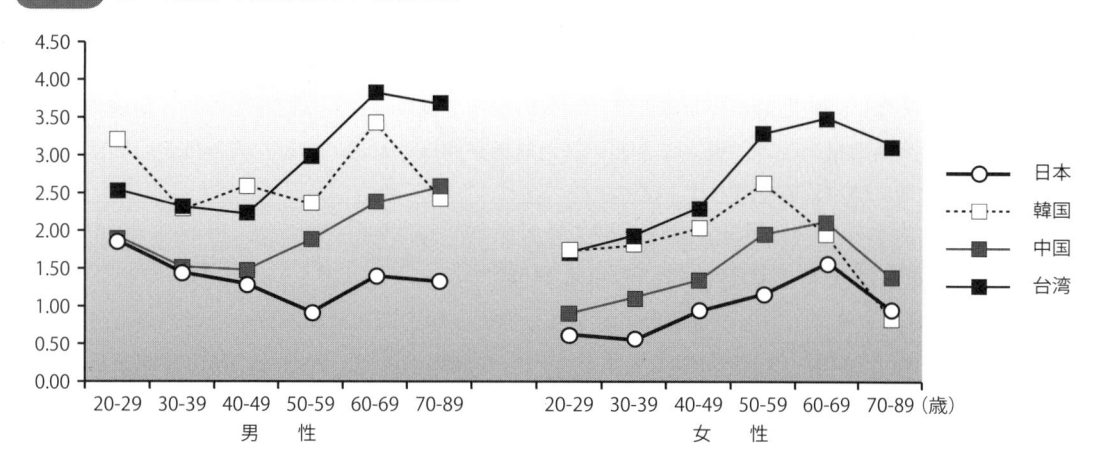

凡例：日本、韓国、中国、台湾

図 2-8 c 性・年齢別にみた「週に数回」以上運動する人の割合（％）

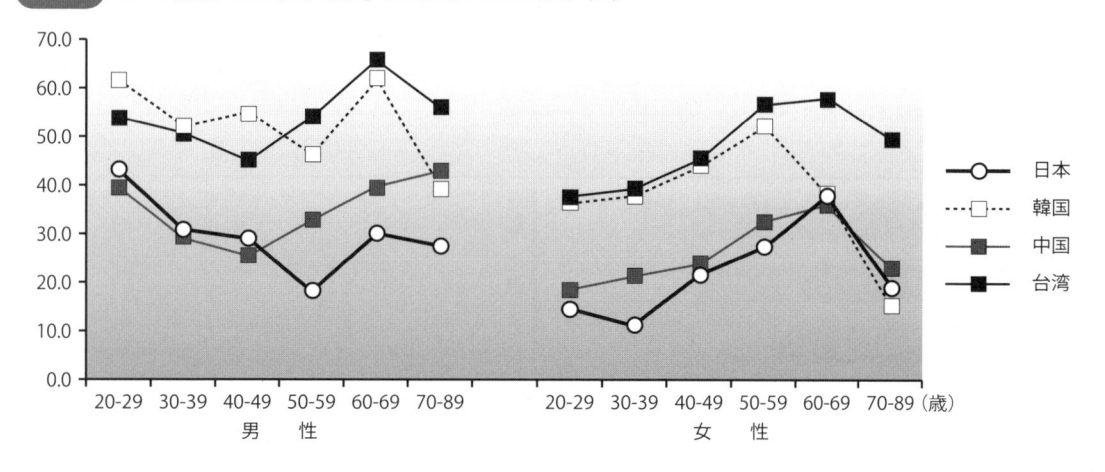

凡例：日本、韓国、中国、台湾

2.9　健康診断を受けていますか

　医療技術の発達に伴い，かつては対処が困難であった重篤な疾患であっても，今日では治療が可能なケースは少なくない。定期的な健康診断は，病気の早期発見につながるだけでなく，健康状態を客観的に把握し，生活習慣の改善に役立てるといった効果が期待される。では，人々はどの程度，定期的あるいは不定期に健康診断を受けているのだろうか。

■ 定期的な健康診断をよく受けている日本男性

　EASSでは，日本・韓国・中国の対象者に対して，過去3年の間に健康診断を受けたかどうかを尋ねている。図2-9aからは，国・地域による大きな違いが読み取れる。定期的に健康診断を受けた人の割合は，日本でもっとも高く65.9%，次いで韓国の49.4%，もっとも低い中国では18.6%であった。中国では不定期に受ける人が多いものの，それでも43.0%の人は健康診断を過去3年間に受けていないと回答している。図2-9bには，定期的な健診受診者の割合を性・年齢別に示した。韓国では若年層における割合の低さが目立っている。日本では，男性の方が女性よりも定期的に健康診断を受ける人が多い。また，60代男性と30代女性にみられる受診率の一時的な低下は，退職によって職場の健診機会が無くなることを反映していると考えられる。

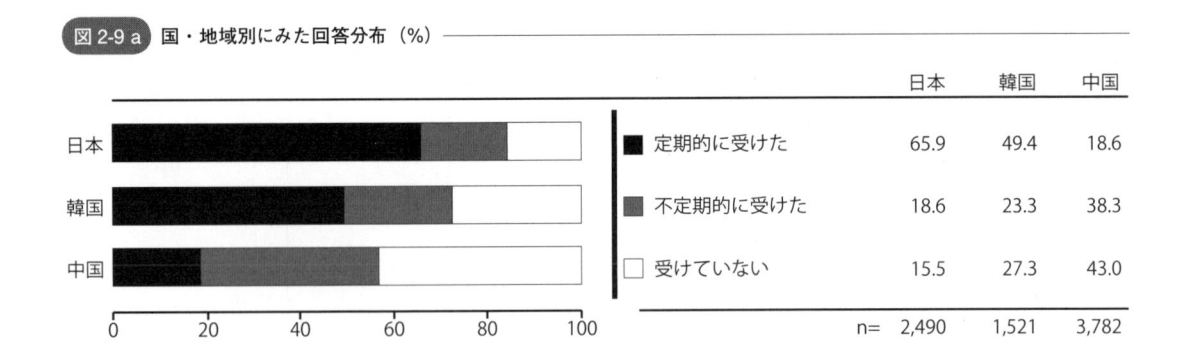

図2-9 a　国・地域別にみた回答分布（%）

	日本	韓国	中国
定期的に受けた	65.9	49.4	18.6
不定期に受けた	18.6	23.3	38.3
受けていない	15.5	27.3	43.0
n=	2,490	1,521	3,782

図2-9 b　性・年齢別にみた定期的に健康診断を受けている人の割合（%）

2.10　ギャンブルを「やり過ぎだ」と言われますか

　何らかの行動をやり過ぎること（耽溺行動）は，喫煙や飲酒といった直接的に健康への影響が懸念される行動だけでなく，ギャンブルやゲームといった娯楽の場合にも生じうる。それらの娯楽も過度に依存的になると，不規則で不健康な生活習慣をもつことにつながりやすい。また，ギャンブルやゲームのやり過ぎは，健康に限らず社会生活のさまざまな面に対しても好ましくない影響が懸念される。

■ 日本の若年男性に多い，ギャンブルのやり過ぎを注意される人

　図 2-10a には，ギャンブル（パチンコを含む）を「やり過ぎだ」と注意されたことがある人の割合を，国・地域別に表した。該当する人の割合はいずれの国・地域においてもきわめて低く，最低は韓国の 1.3%，最高でも日本の 4.1% に過ぎない。性・年齢別にみた図 2-10b からは，そのようなケースが女性ではほとんどみられず，男性のとくに若年層で顕著なことが読み取れる。もっとも高い 20 代の日本男性では，1 割を超える人がギャンブルを「やり過ぎだ」と言われた経験があると回答している。この値を高いと見るか低いと見るかは，見方によって異なるように思われるが，同じ国・地域の中でも性・年齢によって大きな差があることははっきりした傾向のようである。

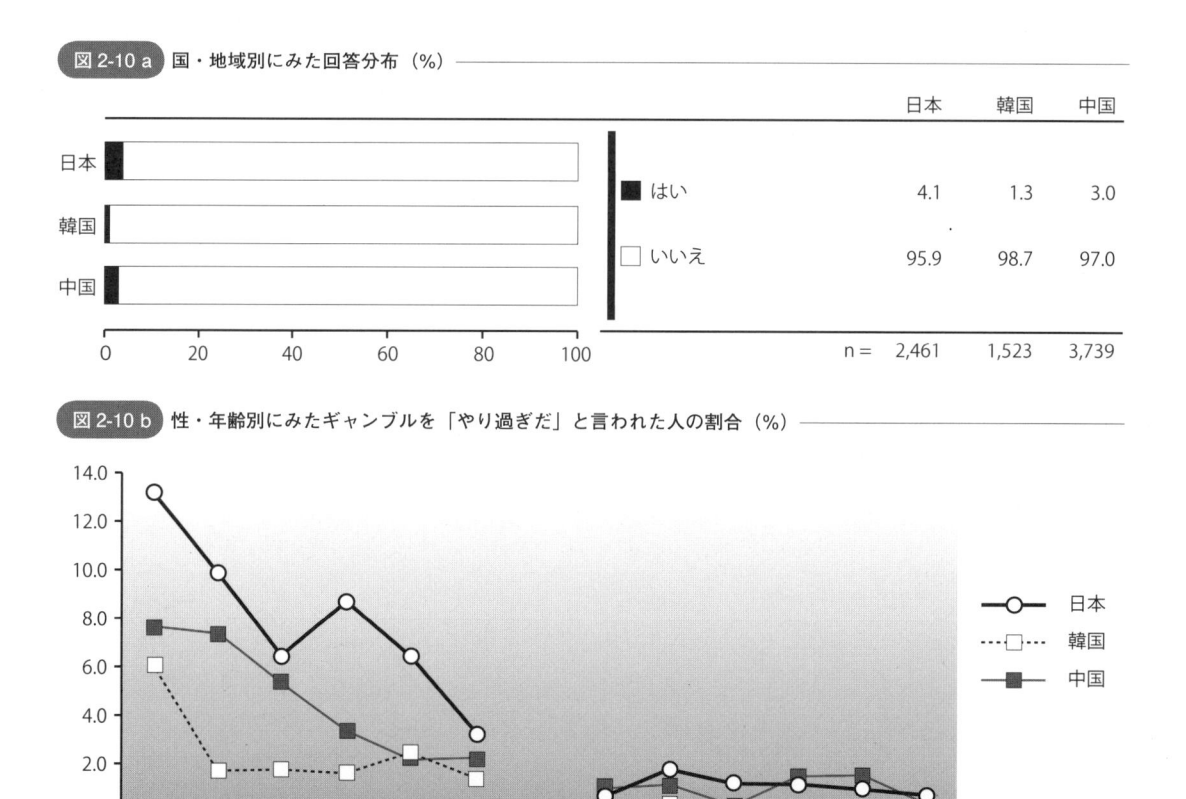

図 2-10 a 国・地域別にみた回答分布（%）

	日本	韓国	中国
はい	4.1	1.3	3.0
いいえ	95.9	98.7	97.0
n =	2,461	1,523	3,739

図 2-10 b 性・年齢別にみたギャンブルを「やり過ぎだ」と言われた人の割合（%）

2.11 ギャンブルを「やり過ぎている」人はいますか

続いて，同居者にギャンブルを「やり過ぎている」人がいるかどうかについてもみてみよう。

■ 同居者がギャンブルをやり過ぎだと思いやすい中高年女性と若年男性

国・地域別にみた回答分布（図2-11a）の値は，先にみた回答者本人の場合（2.10）とほとんど変わりない。最小の韓国で1.1％，最大の日本で4.7％の人が，同居者にギャンブルをやり過ぎている人がいると回答している。性・年齢別にみた結果（図2-11b）では，女性において回答割合がやや高く，男性同居者に対して「やり過ぎだ」と感じていることがうかがえる。また，とくに若年男性に「やり過ぎだ」と言われる人が多い（2.10）ことを考慮すると，女性の中高年層で回答割合が高いことも納得しうる。ただし，男性の場合はむしろ若年層において回答割合が高いが，ここでの質問は同居者に対するものであって本人は含まれないはずであるため，解釈がむずかしい。もっとも，この質問はあくまでやり過ぎだと思うかどうかであり，その基準は回答者に委ねられている。若年男性はギャンブルをやり過ぎだと言われやすく，同時に周りに対してもそう思いやすいのかもしれない。

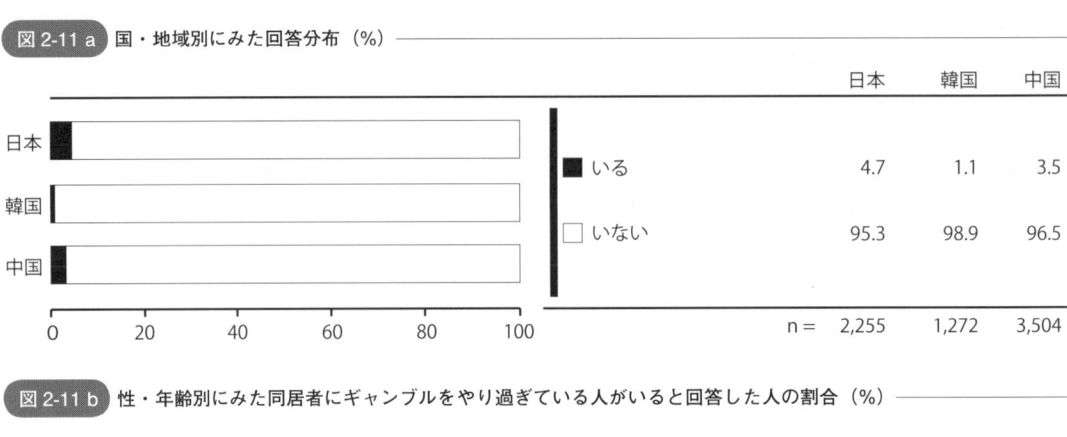

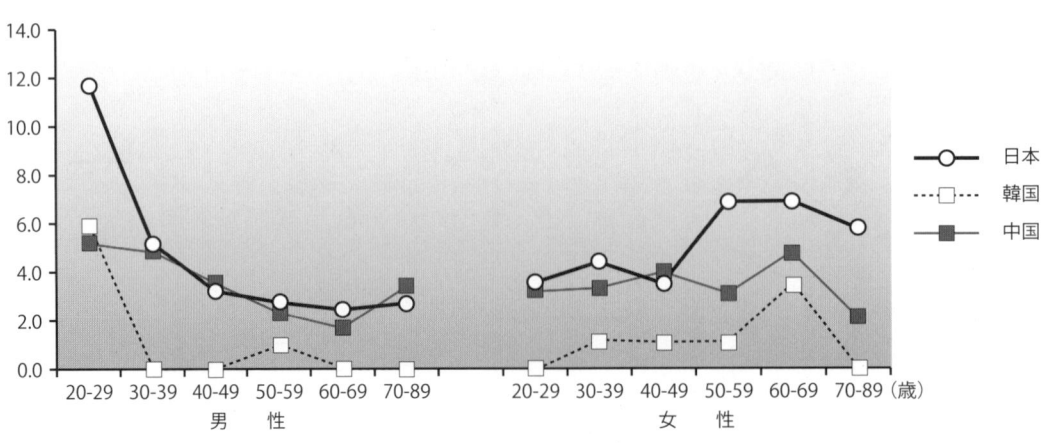

図 2-11 a 国・地域別にみた回答分布（％）

	日本	韓国	中国
■ いる	4.7	1.1	3.5
□ いない	95.3	98.9	96.5
n =	2,255	1,272	3,504

図 2-11 b 性・年齢別にみた同居者にギャンブルをやり過ぎている人がいると回答した人の割合（％）

2.12　ゲームを「やり過ぎだ」と言われますか

　子どもがゲームに熱中して親から注意されるというようなことは，昔からよくみられた光景だろう。しかし近年では，テレビゲームやオンラインでのネットゲームが普及し，自宅だけでなくインターネットカフェ，あるいは携帯電話によっていつどこでもゲームに参加できる環境がある。このような環境の中，ゲームに熱中し過ぎて健康を害するといった事例が報告されるようになり，場合によっては（直接の因果関係はともかくとして）死亡に至った人がいるというニュースまで報道された。

■ 韓国，男性，若年層に多いゲームのやり過ぎ

　図 2-12a は，テレビゲーム／ネットゲーム（携帯などもすべて含む）を「やり過ぎだ」と注意されたことがあるかどうかを尋ねた結果である。ギャンブルの場合とは反対に，韓国で「やり過ぎだ」と言われたことのある人がもっとも多い（7.0%）。性・年齢別の傾向（図 2-12b）は日本・韓国・中国の間でよく似ており，女性よりも男性，そして中高年よりも若年層において高い割合を示している。とくに高い値を示す 20 代男性では，中国で 20% 強，日本と韓国では実に 30% 程度がゲームをやり過ぎだと注意された経験をもつ。

図 2-12 a　国・地域別にみた回答分布（%）

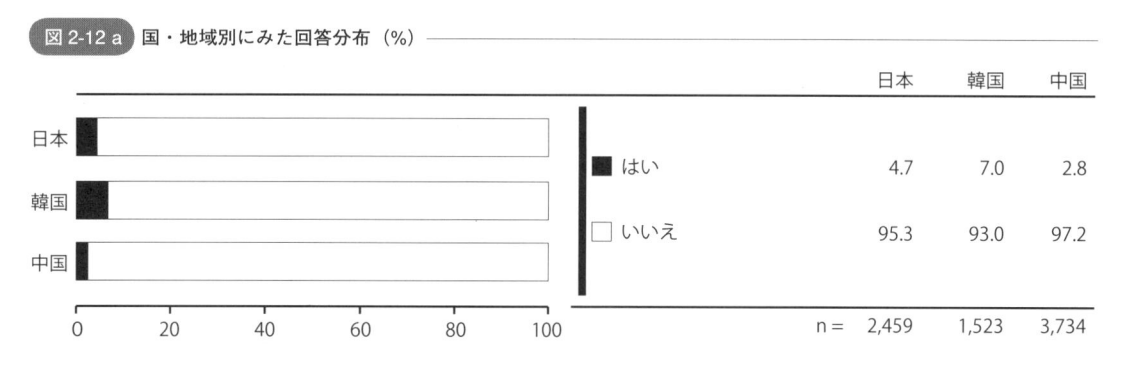

	日本	韓国	中国
はい	4.7	7.0	2.8
いいえ	95.3	93.0	97.2
n =	2,459	1,523	3,734

図 2-12 b　性・年齢別にみたゲームを「やり過ぎだ」と言われた人の割合（%）

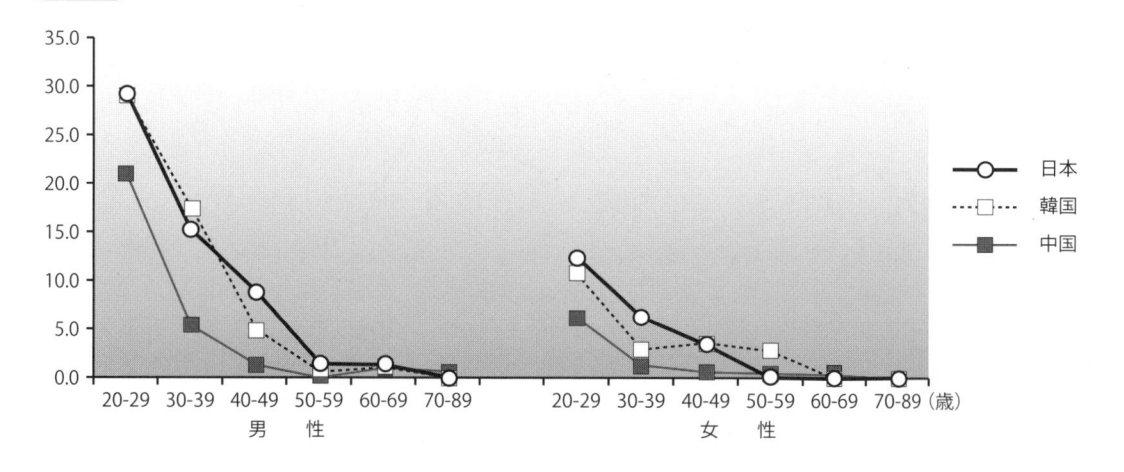

2.13　ゲームを「やり過ぎている」人はいますか

続いて，ゲームを「やり過ぎている」人が同居者にいるかどうかについても確認しておこう。

■ ゲームをやり過ぎだと思いやすい日本？

自分が注意された割合とは異なり，同居者にゲームをやり過ぎている人がいると考える人は，日本（12.1%）でもっとも多くなっている（図2-13a）。性・年齢別にみた場合でも，日本はいずれの性別，どの年齢層においても他の国・地域よりも高い値を示す（図2-13b）。回答者本人がやり過ぎを注意されたことがあるかどうか（2.12）との不整合については，ここでの「同居者」に20歳未満の子どもが含まれているためと考えられる。したがって日本では，とくに子どもに対してゲームをやり過ぎだと思う親や祖父母が多いということを反映しているのかもしれない。

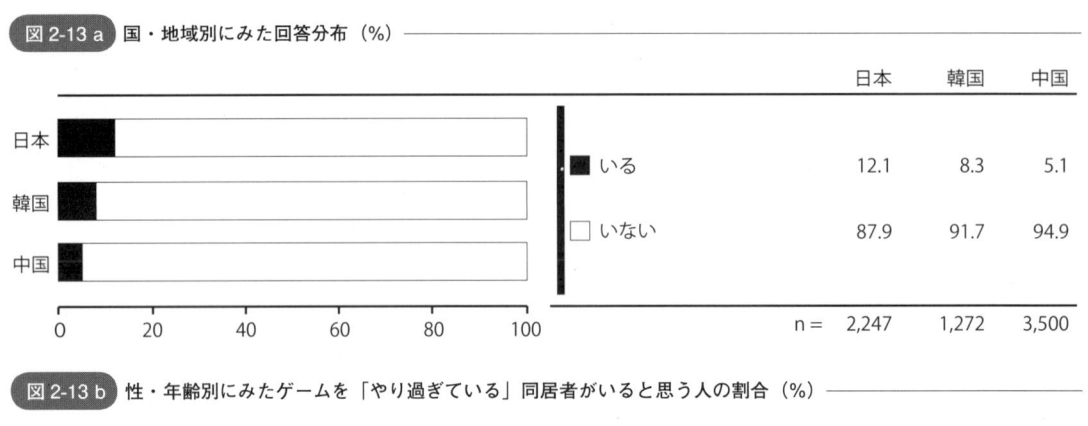

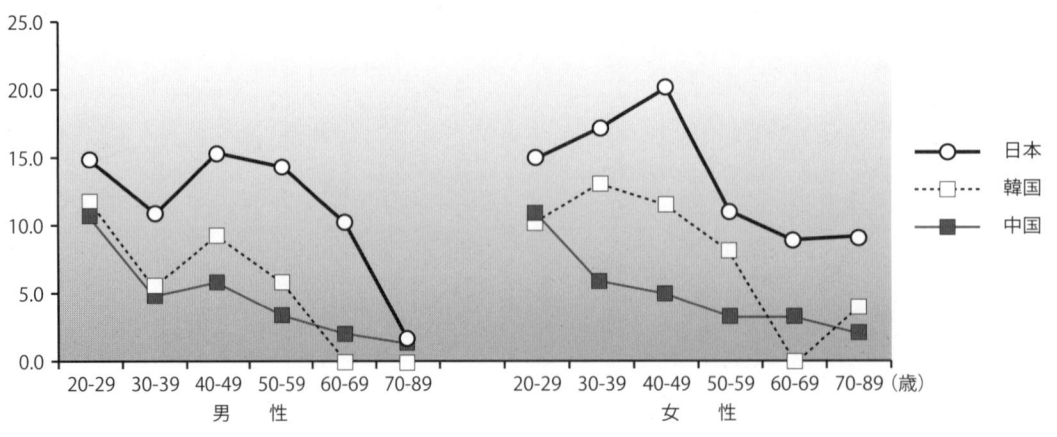

図 2-13 a 国・地域別にみた回答分布（%）

	日本	韓国	中国
いる	12.1	8.3	5.1
いない	87.9	91.7	94.9
n =	2,247	1,272	3,500

図 2-13 b 性・年齢別にみたゲームを「やり過ぎている」同居者がいると思う人の割合（%）

第 3 章
健康状態

3.1　あなたの健康状態は，いかがですか

　第3章では，実際に回答者が健康と感じているかどうか，何らかの健康上の理由によって生活に支障をきたしていないかなど，健康状態に関わる調査の結果についてみていく。「健康」といっても，それがどのような状態を意味するのかは，社会によっても個人によってもさまざまであろう。それにも関わらず，自分で自分が「健康」だと感じるかどうかは，実際にその人の客観的な健康をも予測することが知られている。

■　自身を「健康」だと評価しやすい中国と韓国

　図3-1aは，「あなたの健康状態は，いかがですか」という質問に対する回答の分布を示したものである。「最高に良い」または「とても良い」と回答した人の割合は，中国（それぞれ24.1%，33.4%）と韓国（20.8%，30.2%）で高く，日本（2.8%，15.7%）と台湾（3.1%，15.8%）で低い。日本では中間回答にあたる「良い」が過半数を占め（52.4%），台湾は「あまり良くない」「良くない」を足すと半数を超える。このように国・地域によって回答傾向は大きく異なるものの，加齢に伴い健康感が良くない方向にシフトしていく傾向は（サンプル数の小さい台湾ではやや傾向が不明瞭であるが）概ね共通している（図3-1b）。

　なお，このような質問から評価される健康状態は主観的健康感（Self-rated health）などと呼ばれ，一問の簡単な設問でありながら客観的な健康状態をも予測しうる有効な指標であるとされている（Idler & Benyamini 1997）。ただし，この指標を国際比較に利用することに対しては疑問も呈されている。たとえば図3-1aから，中国の健康水準がもっとも高く，日本や台湾のほうが不健康な人が多い，と言えるだろうか。答えはおそらくノーであろう。タバコを吸うかどうか，といった事実を尋ねる質問とは異なり，健康状態が「最高に良い」ことがどういう状態を意味するのかは，国・地域によって，また設問のワーディングによっても違ってくる。

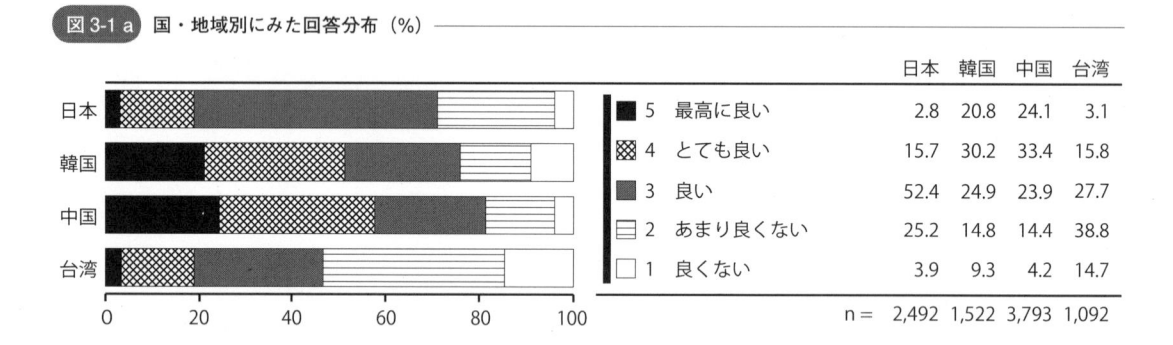

図 3-1 a　国・地域別にみた回答分布（%）

	日本	韓国	中国	台湾
5 最高に良い	2.8	20.8	24.1	3.1
4 とても良い	15.7	30.2	33.4	15.8
3 良い	52.4	24.9	23.9	27.7
2 あまり良くない	25.2	14.8	14.4	38.8
1 良くない	3.9	9.3	4.2	14.7
n =	2,492	1,522	3,793	1,092

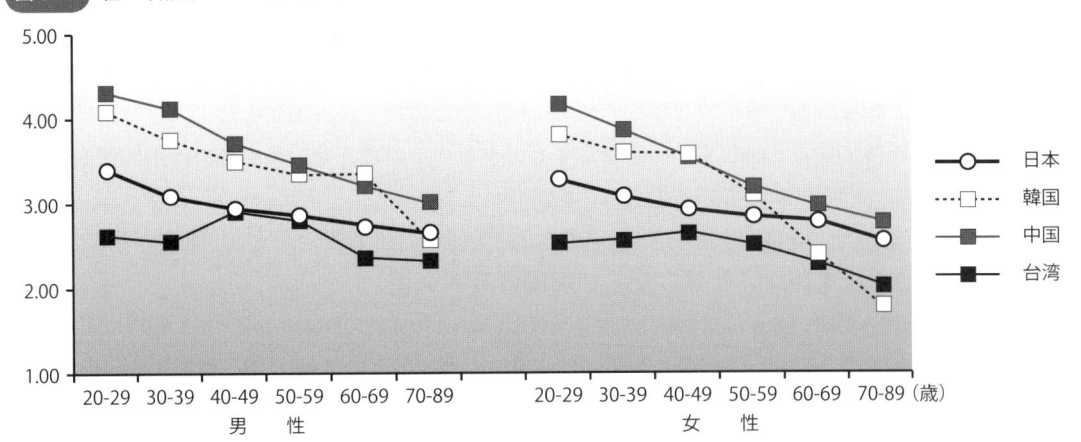

図 3-1 b　性・年齢別にみた主観的健康感の平均値

男　性 / 女　性

凡例: 日本、韓国、中国、台湾

3.2　健康上の理由で，適度の活動をすることがむずかしいと感じますか

病気にかかったり怪我をしたりすると，ふだんはできている日常生活でのさまざまな活動が困難になる。また，たとえ重い病気や怪我ではなくても，慢性的な体調不良や加齢などによって，以前はできていた活動を維持することがむずかしくなることもある。このような，健康上の理由による活動の困難さはどのくらいの人が感じているのだろうか。

■ 適度の活動をむずかしいと感じやすい韓国の高齢女性

図 3-2a は，適度な活動（たとえば，家や庭のそうじをする，1～2 時間散歩するなど）を行うことのむずかしさを尋ねた結果である。「ぜんぜんむずかしくない」と回答した人は日本・韓国・中国のいずれも 7 割を超えるが，「とてもむずかしい」という回答では最小の日本（4.0%）と最大の韓国（11.8%）の間に 3 倍近い差がみられる。性・年齢別にみると（図 3-2b），20-50 代にかけては，各国・地域ともに大きな変化はみられない。しかし，高齢になると男女ともに困難さを感じる人の割合が急激に増加しており，この傾向は韓国女性においてもっとも顕著にみられる。また，日本では年齢による差が相対的に小さい。

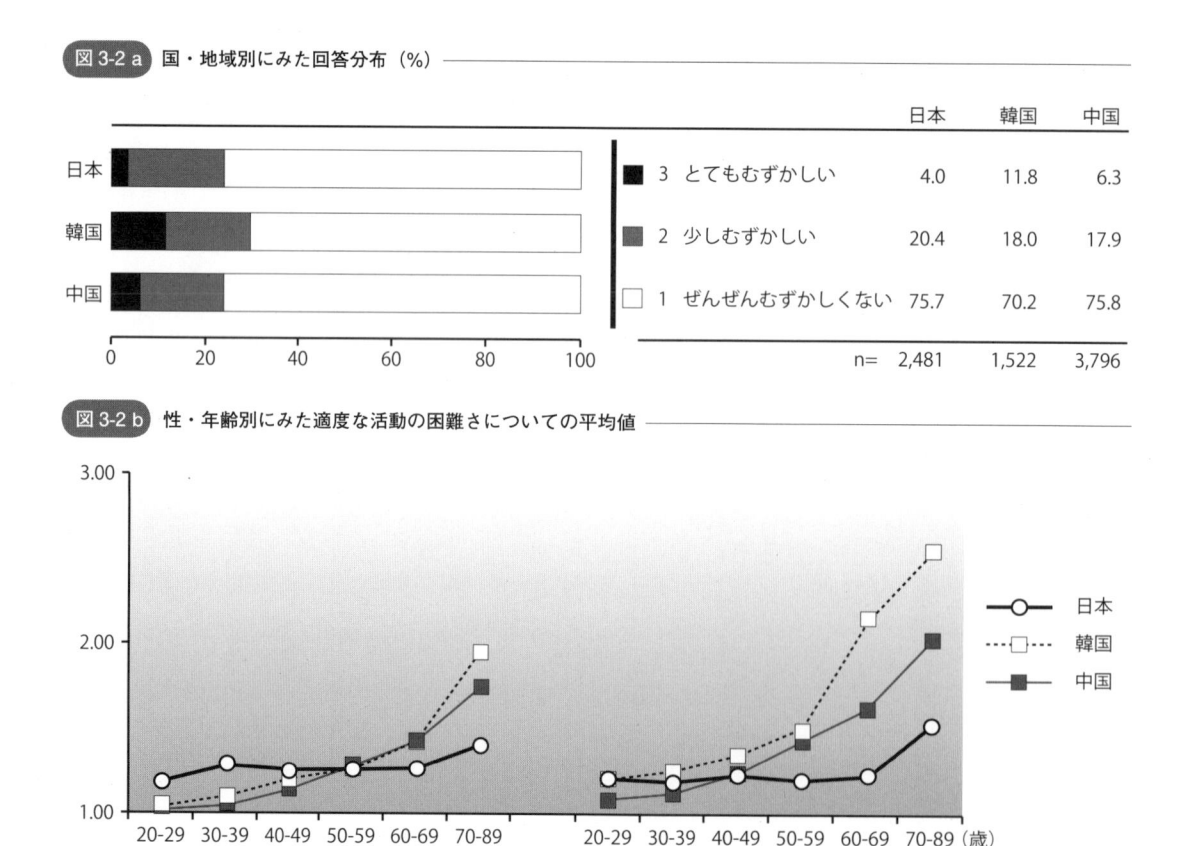

図 3-2 a　国・地域別にみた回答分布 （%）

	日本	韓国	中国
3　とてもむずかしい	4.0	11.8	6.3
2　少しむずかしい	20.4	18.0	17.9
1　ぜんぜんむずかしくない	75.7	70.2	75.8
n=	2,481	1,522	3,796

図 3-2 b　性・年齢別にみた適度な活動の困難さについての平均値

3.3 健康上の理由で，階段をのぼるなどの活動をすることがむずかしいと感じますか

続いて，同じく健康上の理由によって，「階段を数階上までのぼる」といった活動がむずかしいかどうかについてもみておこう。

■ 階段をのぼるなどの活動のむずかしさを感じにくい日本

図 3-3a は，階段を数段上までのぼるなどの活動がむずかしいかどうかについての回答分布を，そして図 3-3b はその平均値を性・年齢別に集計した結果を示したグラフである。基本的に，先にみた「適度の活動」(3.2) についての結果とよく似た傾向が確認される。とくに困難さを感じやすいのは韓国の高齢女性であり，60歳以上では多くの人が階段をのぼるなどの活動がむずかしいと表明している。対照的に日本では，高齢女性であっても困難さを感じる人はそれほど多くない。その理由としては，日本の高齢女性が高い健康水準を維持していることのほか，バリアフリーのような環境整備によって困難さを感じにくいといったことがあるのかもしれない。

図 3-3 a 国・地域別にみた回答分布（％）

	日本	韓国	中国
3 とてもむずかしい	4.1	13.3	8.3
2 少しむずかしい	16.9	20.7	22.8
1 ぜんぜんむずかしくない	79.0	66.0	69.0
n=	2,480	1,520	3,780

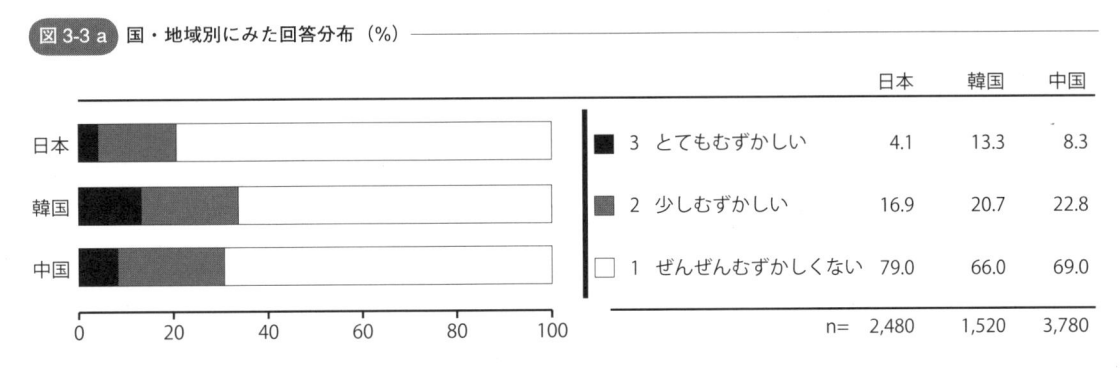

図 3-3 b 性・年齢別にみた階段をのぼるなどの活動の困難さについての平均値

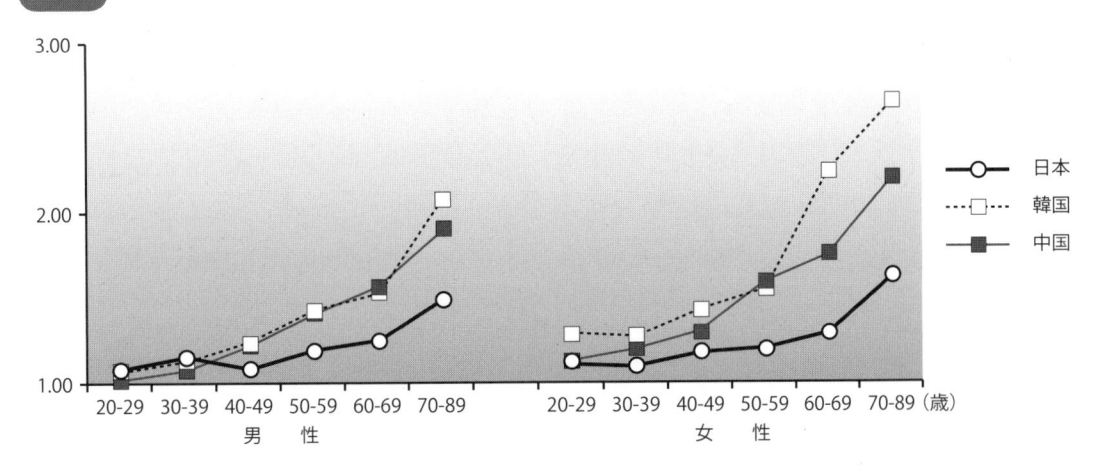

3.4 身体的な理由で，仕事やふだんの活動が思ったほどできなかった

　一概に「健康上の理由」といっても，身体的な健康と心理的な健康では生活への影響も異なることが予想される。ここからは，仕事やふだんの活動ができなかったことがあるかどうかを，それぞれの理由についてみていく。まず，身体的な理由によって，仕事やふだんの活動が思ったほどできなかったというケースについてみてみよう。

■ 日本で少ない，身体的な理由による仕事やふだんの活動の制約

　図3-4aは，身体的な理由で仕事やふだんの活動が思ったほどできなかった，ということを過去1ヵ月間どのくらいの頻度で経験したかを尋ねた結果を示している。「いつも」と回答した人の割合は，韓国（8.1%），中国（3.7%），日本（2.2%）の順に多い。反対に「ぜんぜんない」と回答した人は，日本で半数以上にのぼる（56.1%）。性・年齢別にみると（図3-4b），男性よりも女性の方でやや活動の制約が大きい傾向がみられる。また，中国と韓国については概ね右上がりの傾向がみられ，加齢に伴い制約が大きくなることがうかがえるが，日本では加齢による変化がきわめて小さい点に特徴がある。

図 3-4 a 国・地域別にみた回答分布（%）

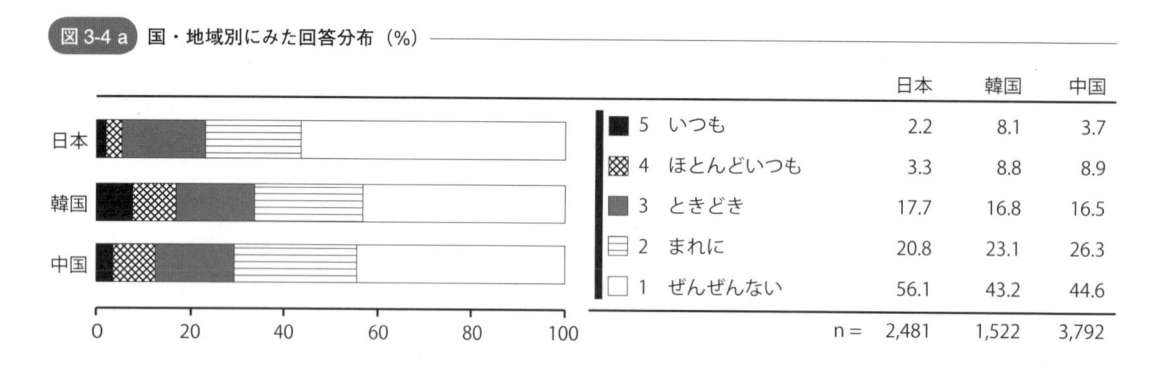

	日本	韓国	中国
5 いつも	2.2	8.1	3.7
4 ほとんどいつも	3.3	8.8	8.9
3 ときどき	17.7	16.8	16.5
2 まれに	20.8	23.1	26.3
1 ぜんぜんない	56.1	43.2	44.6
n =	2,481	1,522	3,792

図 3-4 b 性・年齢別にみた身体的な理由による活動の制約についての平均値

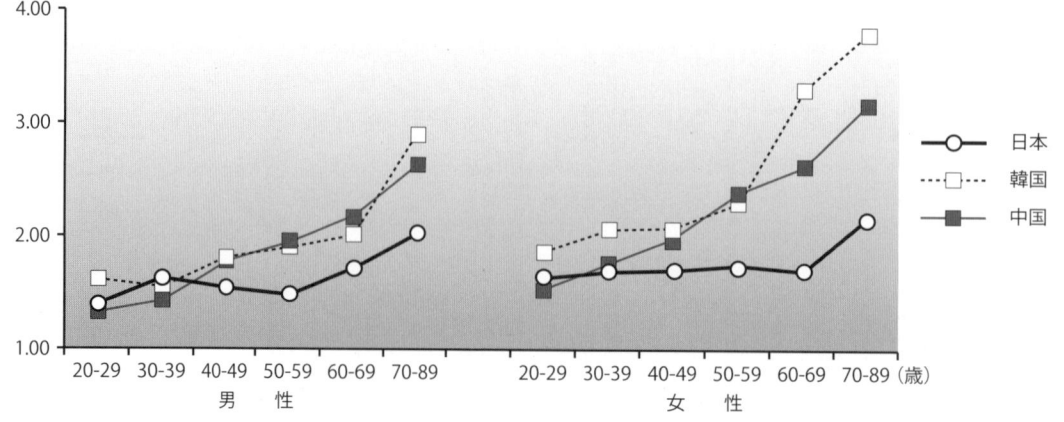

3.5 身体的な理由で，仕事やふだんの活動の内容によってはできないものがあった

続いて，同じく身体的な理由によって，仕事やふだんの活動が内容によってはできないものがあったかどうかについても確認しておこう。

■ 身体的な理由による活動の妨げが少ない日本

図 3-5a は，過去 1 カ月の間に，身体的な理由で，仕事やふだんの活動の内容によってはできないものがあった，という経験の頻度を尋ねた結果であり，図 3-5b はその平均値を性・年齢別に集計したものである。国・地域別にみた回答の分布や，性・年齢別にみた値は，3.4 で確認した結果とほとんど同じであった。身体的な理由による活動の制約を経験した頻度は日本で少なく，加齢による変化も日本では相対的に小さい。他方で韓国では活動の制約があると回答した人が多く，とくに高齢層になるとその頻度は急激に高まる傾向がある。

図 3-5 a 国・地域別にみた回答分布（％）

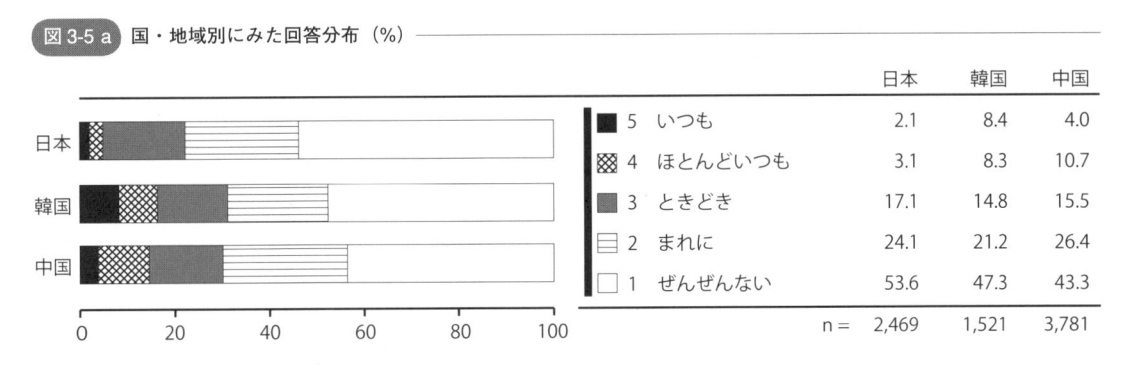

	日本	韓国	中国
5 いつも	2.1	8.4	4.0
4 ほとんどいつも	3.1	8.3	10.7
3 ときどき	17.1	14.8	15.5
2 まれに	24.1	21.2	26.4
1 ぜんぜんない	53.6	47.3	43.3
n =	2,469	1,521	3,781

図 3-5 b 性・年齢別にみた身体的な理由による活動の妨げについての平均値

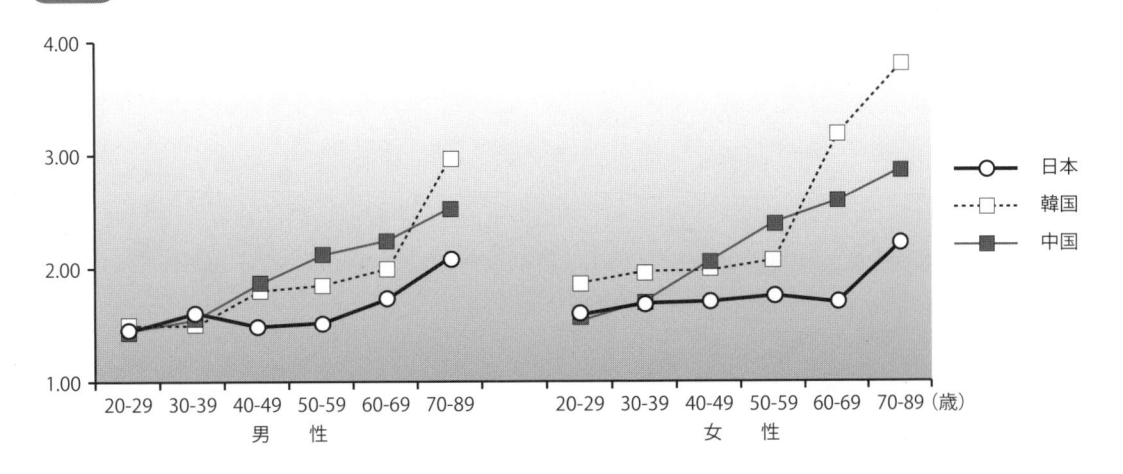

3.6 心理的な理由で，仕事やふだんの活動が思ったほどできなかった

次に，「心理的な理由」によって，仕事やふだんの活動に制約があったのかどうかをみていこう。

■ 国・地域よる差が小さい，心理的な理由による仕事やふだんの活動の制約

図3-6aは，心理的な理由によって（たとえば，気分がおちこんだり不安を感じたりしたために），仕事やふだんの活動が思ったほどできなかった，という経験が過去1ヵ月間にどのくらいあったのかを尋ねた結果である。身体的な理由の場合と同様に，ここでも日本は活動の制約を感じる人がもっとも少ない。ただし，身体的な理由の場合（3.4）と比べると国・地域による違いは小さいようである。性・年齢別に平均値を示した図3-6bをみると，とりわけ男性の場合には年齢による変化が不明瞭であり，身体的な理由でははっきりみられた加齢に伴う制約の増加傾向は，心理的な理由の場合にはさほど明確ではない。

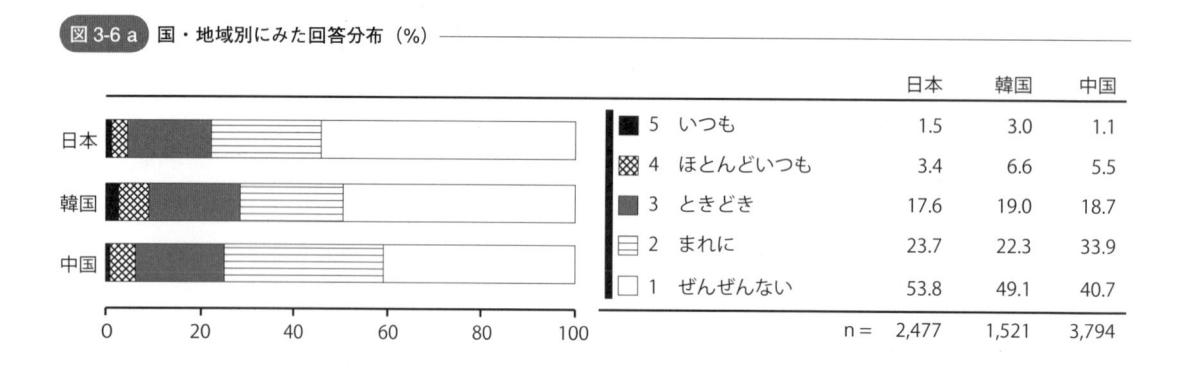

図3-6 a 国・地域別にみた回答分布（％）

	日本	韓国	中国
5 いつも	1.5	3.0	1.1
4 ほとんどいつも	3.4	6.6	5.5
3 ときどき	17.6	19.0	18.7
2 まれに	23.7	22.3	33.9
1 ぜんぜんない	53.8	49.1	40.7
n =	2,477	1,521	3,794

図3-6 b 性・年齢別にみた心理的な理由による活動の制約についての平均値

3.7　心理的な理由で，仕事やふだんの活動がいつもほど集中してできなかった

続いて，同じく心理的な理由によって，仕事やふだんの活動がいつもほど集中してできなかったことがあったかどうかについても確認しておく。

■ 国・地域による差が小さい，心理的な理由による集中の妨げ

ここでの質問は，心理的な理由によって，仕事やふだんの活動がいつもほど集中してできなかったことが，過去1カ月の間にどのくらいあったかを尋ねたものである。国・地域別の回答分布は図3-7aに，性・年齢別にみた平均値は図3-7bに示されている。結果は3.6のものとよく似ており，身体的な理由と比べて，心理的な理由による活動の制約には国・地域による差や加齢に伴う変化が小さいことがここでも確認できる。

図 3-7 a　国・地域別にみた回答分布（%）

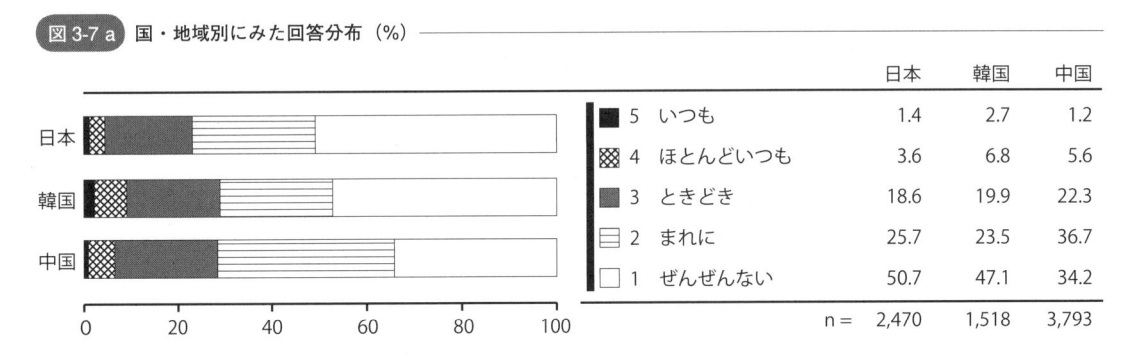

	日本	韓国	中国
5　いつも	1.4	2.7	1.2
4　ほとんどいつも	3.6	6.8	5.6
3　ときどき	18.6	19.9	22.3
2　まれに	25.7	23.5	36.7
1　ぜんぜんない	50.7	47.1	34.2
n =	2,470	1,518	3,793

図 3-7 b　性・年齢別にみた心理的な理由による集中の妨げについての平均値

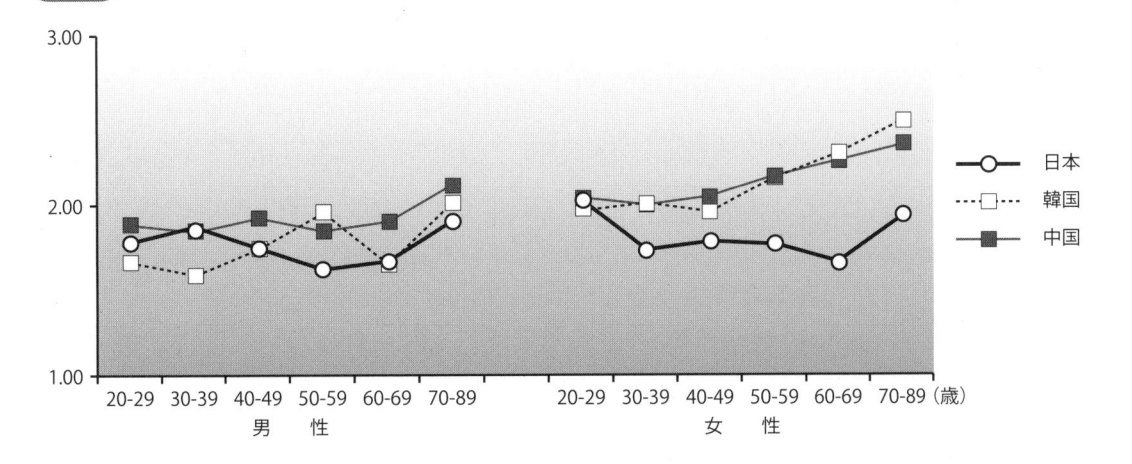

3.8　いつもの仕事が痛みのために妨げられましたか

さらにここでは,「痛み」が仕事に影響しているのかどうか尋ねた結果も確認しておこう。

■ 痛みによる仕事の制約を訴えやすい中国と韓国の高齢女性

　図 3-8a は,「過去 1 カ月間に, いつもの仕事（家事も含む）が痛みのために, どのくらい妨げられましたか」という質問に対する回答分布を国・地域別に示したものである。仕事が「非常に妨げられた」あるいは「かなり妨げられた」という回答は, 韓国と中国で多く, 日本と台湾では少ない。とくに台湾は,「ぜんぜん妨げられなかった」とする回答が 74.7% にのぼる。性・年齢別にみると（図 3-8b), 韓国と中国では年齢が上がるほど痛みによる仕事の制約が増加する傾向が明瞭であるが, 日本と台湾ではそのような変化が小さい。また, 全体として男性よりも女性の方が痛みによる仕事の制約を訴えやすい傾向がみられ, とくに韓国と中国の高齢女性の場合に顕著である。

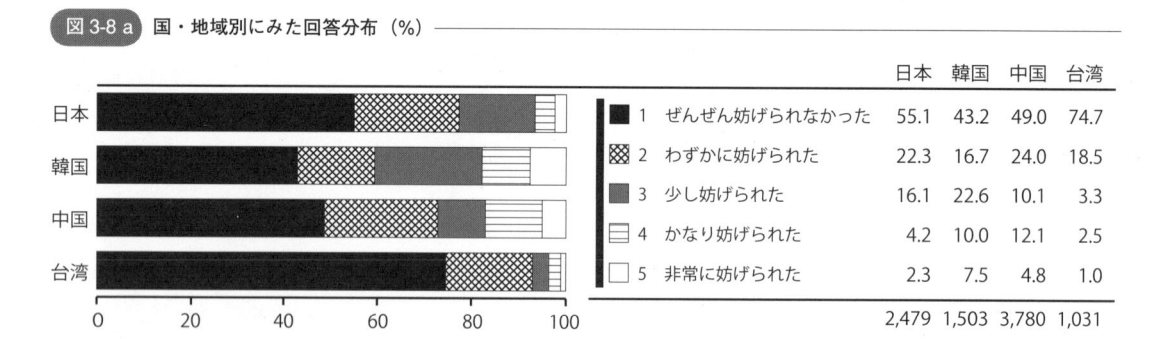

図 3-8 a　国・地域別にみた回答分布（%）

	日本	韓国	中国	台湾
1 ぜんぜん妨げられなかった	55.1	43.2	49.0	74.7
2 わずかに妨げられた	22.3	16.7	24.0	18.5
3 少し妨げられた	16.1	22.6	10.1	3.3
4 かなり妨げられた	4.2	10.0	12.1	2.5
5 非常に妨げられた	2.3	7.5	4.8	1.0
	2,479	1,503	3,780	1,031

図 3-8 b　性・年齢別にみた痛みによる仕事の制約についての平均値

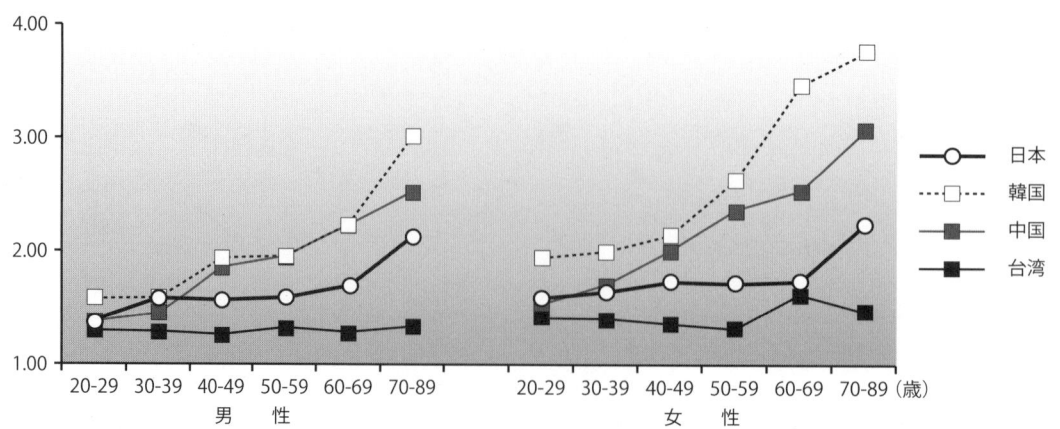

3.9　おちついていて，おだやかな気分でしたか

ここからは，過去 1 ヵ月間における心理的な状態について質問した結果について確認していこう。

■「おちついておだやか」だと感じやすい中国と台湾

一つ目の質問は，「おちついて，おだやかな気分でしたか」というものであり，「いつも」から「ぜんぜんない」までの 5 段階で回答が求められた。図 3-9a は，国・地域別にその回答分布を示したものである。中国と台湾では，「いつも」「ほとんどいつも」と回答した人が多く，「ぜんぜんない」という回答はきわめて少ない。他方で韓国は，「ぜんぜんない」「まれに」という回答が他の国・地域に比べてかなり多く，心理的におだやかではないと訴える人が多いことが示されている。図 3-9b は，回答の平均値を性・年齢別に集計した結果であり，各国・地域ともに性別や年齢による違いはあまり大きくないことが読み取れる。

図 3-9 a 国・地域別にみた回答分布（％）

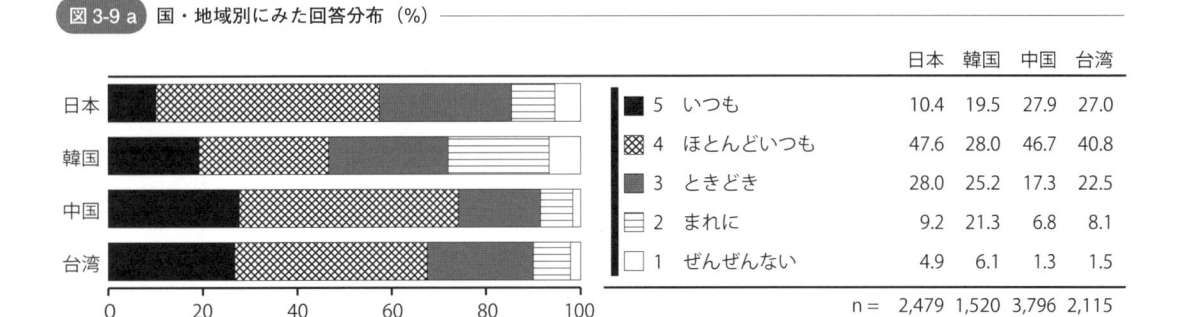

	日本	韓国	中国	台湾
5 いつも	10.4	19.5	27.9	27.0
4 ほとんどいつも	47.6	28.0	46.7	40.8
3 ときどき	28.0	25.2	17.3	22.5
2 まれに	9.2	21.3	6.8	8.1
1 ぜんぜんない	4.9	6.1	1.3	1.5
n =	2,479	1,520	3,796	2,115

図 3-9 b 性・年齢別にみた回答の平均値

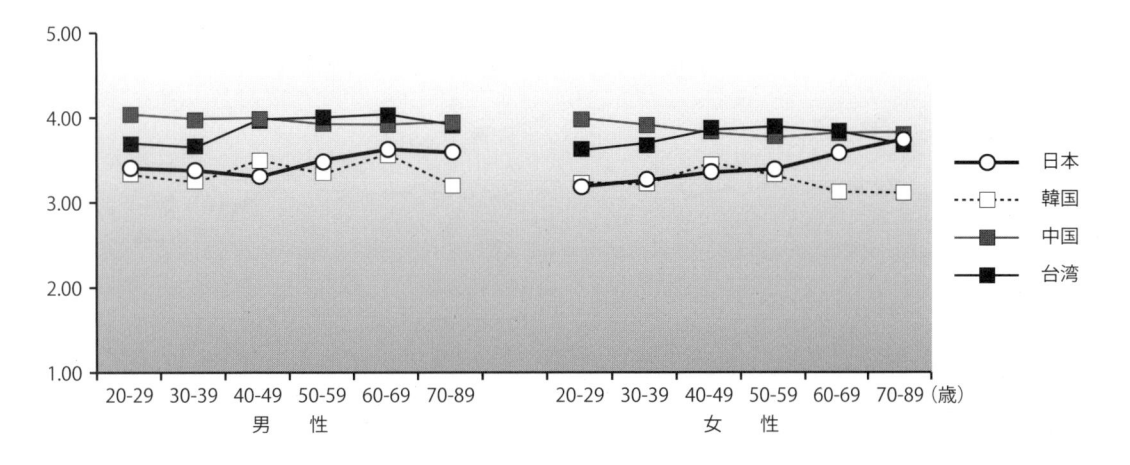

3.10　活力（エネルギー）に，あふれていましたか

次に，いつも活力（エネルギー）があると感じているかどうかについて質問した結果を確認しておく。

■ いつも活力にあふれていると感じている中国の若年層

図 3-10a は，「活力（エネルギー）に，あふれていましたか」という質問に対する回答分布を国・地域別に示したグラフである。「いつも」あるいは「ほとんどいつも」と答えた人は中国においてもっとも多く，それぞれ 24.4% と 38.2% にのぼる。反対に日本では「いつも」活力にあふれているという回答がわずか 6.6% にとどまり，「ぜんぜんない」という回答はそれよりも多い 9.6% である。性・年齢別の平均値をみてみると（図 3-10b），とくに中国の若年層において活力をいつも感じている人が多く，中国では年齢による違いが大きい。韓国の場合にも，高齢者よりも若年層において活力を感じている傾向がみられるものの，日本ではそのような年齢層による違いがほとんどみられなかった。なお，国・地域や年齢層に比べると，性別による差は小さいものであった。

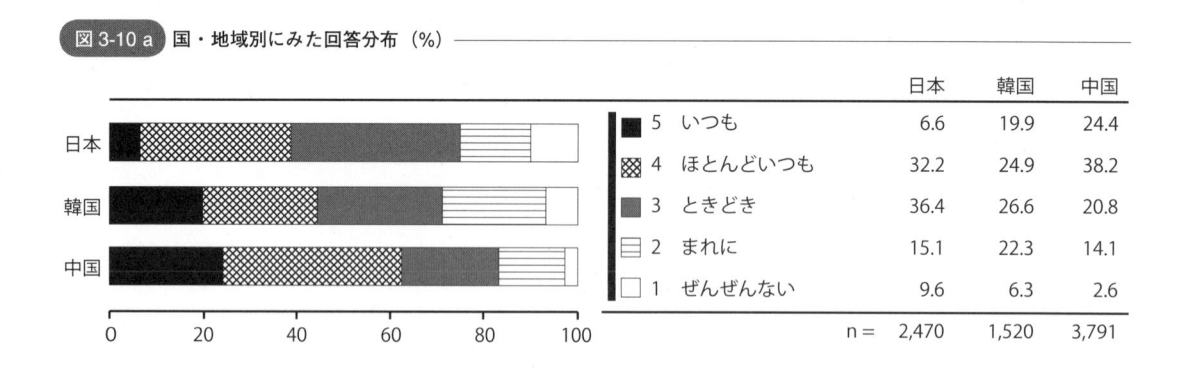

図 3-10 a　国・地域別にみた回答分布（%）

	日本	韓国	中国
5　いつも	6.6	19.9	24.4
4　ほとんどいつも	32.2	24.9	38.2
3　ときどき	36.4	26.6	20.8
2　まれに	15.1	22.3	14.1
1　ぜんぜんない	9.6	6.3	2.6
n =	2,470	1,520	3,791

図 3-10 b　性・年齢別にみた回答の平均値

3.11　おちこんで，ゆううつな気分でしたか

心理的な状態に関する最後の質問は，先の二つとは異なりネガティブな状態について尋ねたものである。

■ おちこんでゆううつな気分になりにくい台湾

図3-11aは，「おちこんで，ゆううつな気分でしたか」という質問に対する回答を，国・地域別に集計した結果を示したものである。「いつも」「ほとんどいつも」という回答は各国・地域ともに多くないものの，とくに少ないのは日本と台湾であり，相対的に多いのが韓国と中国である。中でも台湾は，過半数の回答者が，落ち込んでゆううつだったことが「ぜんぜんない」と答えており，心理的に優れた健康状態にあることがうかがえる。性・年齢別に集計した結果（図3-11b）から一貫した傾向は読み取りにくいものの，韓国と中国は高齢者ほど落ち込んでゆううつな気分を感じやすい傾向があるのに対して，日本では緩やかながら高齢者の方でむしろそのような気分になりにくいことが示されている。

図3-11 a 国・地域別にみた回答分布（%）

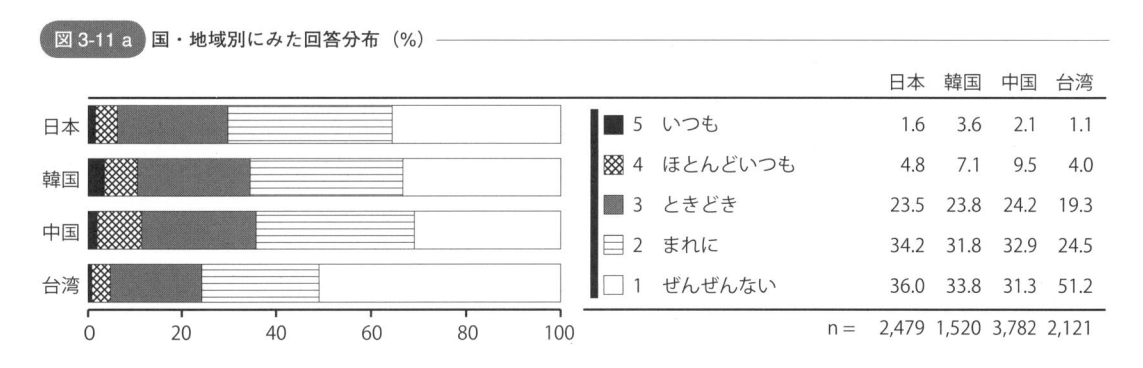

	日本	韓国	中国	台湾
5　いつも	1.6	3.6	2.1	1.1
4　ほとんどいつも	4.8	7.1	9.5	4.0
3　ときどき	23.5	23.8	24.2	19.3
2　まれに	34.2	31.8	32.9	24.5
1　ぜんぜんない	36.0	33.8	31.3	51.2
n =	2,479	1,520	3,782	2,121

図3-11 b 性・年齢別にみた回答の平均値

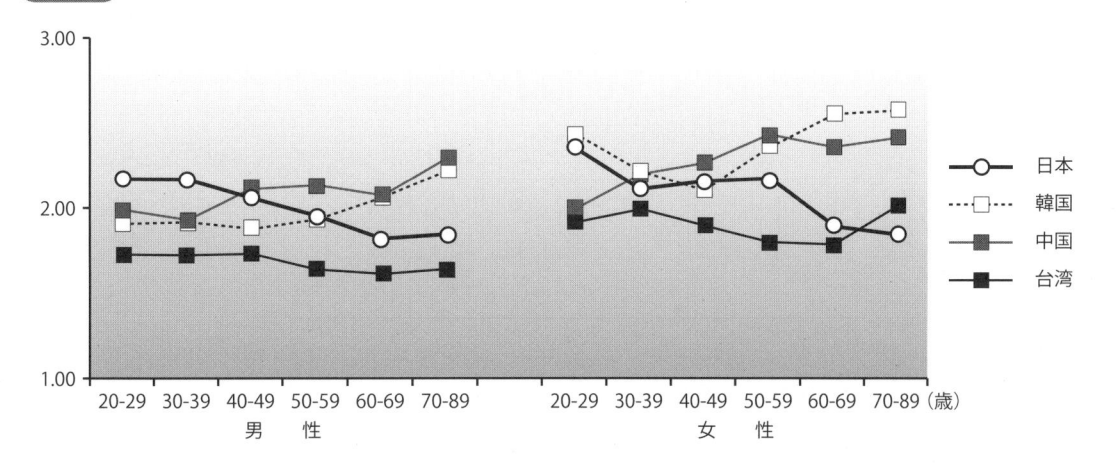

3.12 人とのつきあいが,身体的あるいは心理的な理由で妨げられましたか

健康状態によって妨げられるのは,仕事や家事といった活動に限られない。身体的あるいは心理的な問題によって人とのつきあいが妨げられると,社会的孤立や閉じこもりといった状況になりやすく,それによって身体的・心理的な健康を損なうという悪循環に陥ることも考えられる。

■ 健康上の理由で人との付き合いが妨げられることの少ない日本

図 3-12a は,「過去 1 カ月間に,友人や親せきを訪ねるなど,人とのつきあいが,身体的あるいは心理的な理由で,どのくらい妨げられましたか」という質問に対する回答の分布を示したものである。韓国と中国に比べて,日本では人とのつきあいが妨げられることが少なく,「ぜんぜんない」が 67.1%と三分の二以上を占めている。性・年齢別にみると(図 3-12b),中国・韓国では加齢に伴い人づきあいが妨げられるケースが増加するが,日本ではそのような変化がほとんどみられない点が特徴的である。

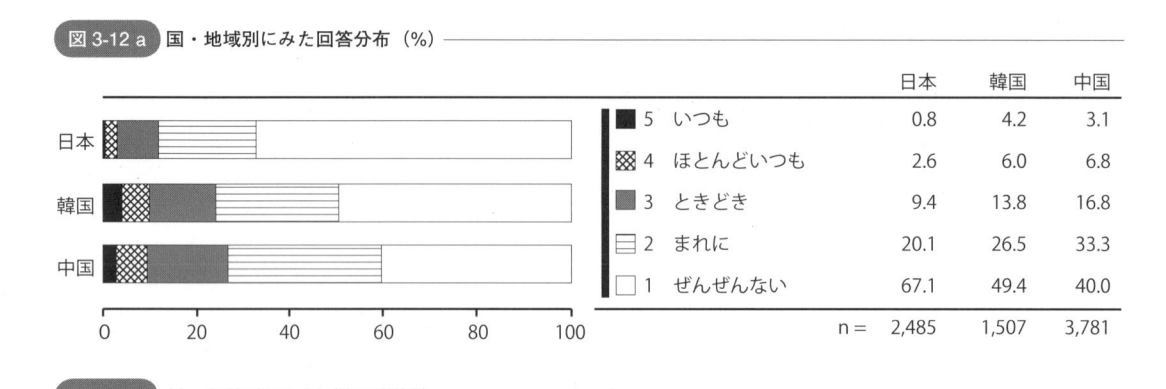

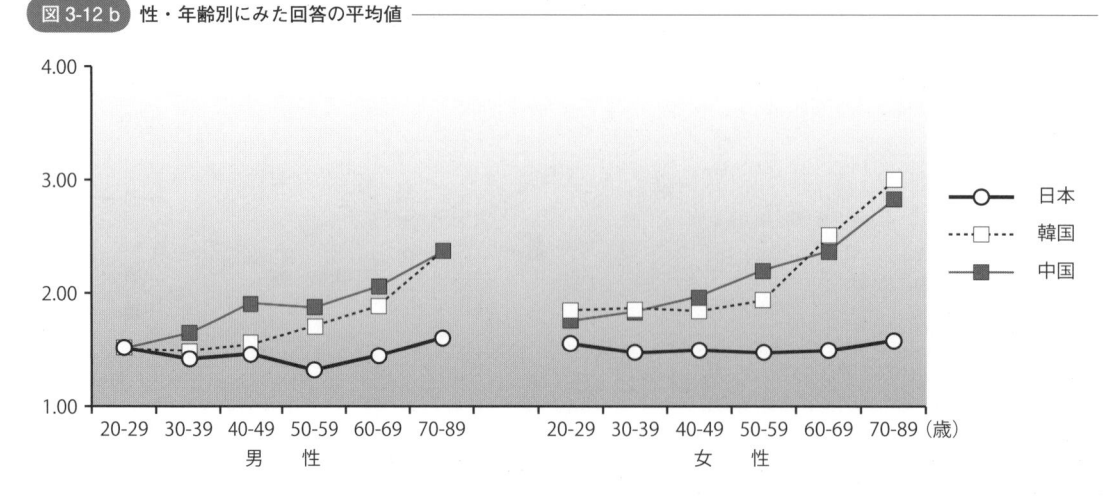

図 3-12 a 国・地域別にみた回答分布(%)

	日本	韓国	中国
5 いつも	0.8	4.2	3.1
4 ほとんどいつも	2.6	6.0	6.8
3 ときどき	9.4	13.8	16.8
2 まれに	20.1	26.5	33.3
1 ぜんぜんない	67.1	49.4	40.0
n =	2,485	1,507	3,781

図 3-12 b 性・年齢別にみた回答の平均値

3.13　SF-12 下位得点による健康関連 QOL の評価

　ここまで，第3章では，身体的あるいは心理的な健康状態やそれに伴う活動の制約について尋ねた結果を確認してきた。3.1から3.12で取り上げた12の項目は，SF-12と呼ばれる，健康関連QOL（Quality of Life）を包括的に測定する尺度を構成する設問である。QOLは「生活の質」と一般に訳されるが，健康関連QOLはこのうち健康と直接関連のある生活の質を評価しようとするものである。この指標では，客観的に疾患や障がいがあるかどうかというよりも，個人の主観も含めて，そのような健康状態のなかで生活の質がどのように維持されているのかに着目したものといえる。

　SF-12では，12問の設問に対する回答を重み付けすることで，「全体的健康」「身体機能」「日常役割機能（身体）」「日常役割機能（精神）」「体の痛み」「心の健康」「活力」「社会生活機能」の8つの下位尺度得点が得られる（0-100得点）。すでに個々の設問に対する回答分布を確認しているため重複する部分もあるが，以下ではこの下位尺度について性・年齢別の平均値をグラフに示し（図3-13a～h），健康関連QOLの国・地域による違いおよび性・年齢による差を整理しておこう。なお，得点は複数の設問に対する回答から計算されるため，一部の設問のみが調査票に含まれた台湾はこれに含まれていない。

■ 韓国で大きく日本で小さい，年齢による健康関連 QOL の差

　性・年齢別のグラフをみると，「身体機能」（図3-13b）「日常役割機能（身体）」（図3-13c）「体の痛み」（図3-13e）という身体的な健康に関わる項目では類似した傾向がみられる。つまり，韓国において若年層と高齢層の間にQOL得点の大きな違いがみられ，とりわけ60代以降で大幅に低下するという傾向である。この傾向は男性よりも女性において顕著である。他方で日本は，全体的健康感を除くと加齢による変化が小さく，多くの場合70歳以上のみ若干の低下がみられる程度であった。「社会生活機能」（図3-13h）についても，変化の大きい韓国と小さい日本という構図は似ている。年齢差について，中国は多くの場合，韓国と日本の中間に位置するものの，「活力」（図3-13g）については若年層で高く高齢層で低い傾向がもっとも明確であった。心理的な健康に関わる「日常役割機能（精神）」（図3-13d）および「心の健康」（図3-13f）では，いずれの国・地域についても他の項目に比べると年齢による差が小さい。

　このように，国・地域によって，年齢による変化には違いが認められる。日本で年齢による変化が小さいことは，平均寿命に示されているように日本が長寿・健康であることがある程度反映されたと考えられよう。ただし，「全体的健康感」（図3-13a）をみると日本でも男性・女性ともに年齢に応じて得点は低下しており，健康状態そのものが高齢層でも維持されていると単純にみなすことは適当ではない。もう一つの可能性としては，ある程度の健康状態の悪化がみられたとしても，仕事や活動，社会参加などが大きく妨げられることのない環境が整っていることが考えられる。日本でも本格的な高齢社会の到来とともに，保健・医療・福祉などさまざまな社会問題が表面化しているものの，少なくとも相対的な意味では，高齢者にとって健康に関わる生活の質を維持しやすい社会といえるのかもしれない。

図 3-13 a 性・年齢別にみた健康状態 1. 全体的健康感

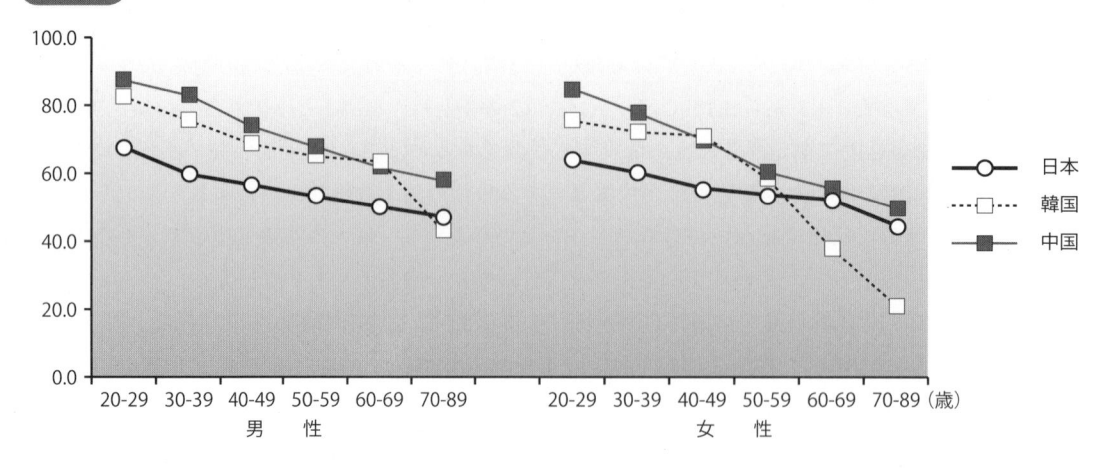

図 3-13 b 性・年齢別にみた健康状態 2. 身体機能

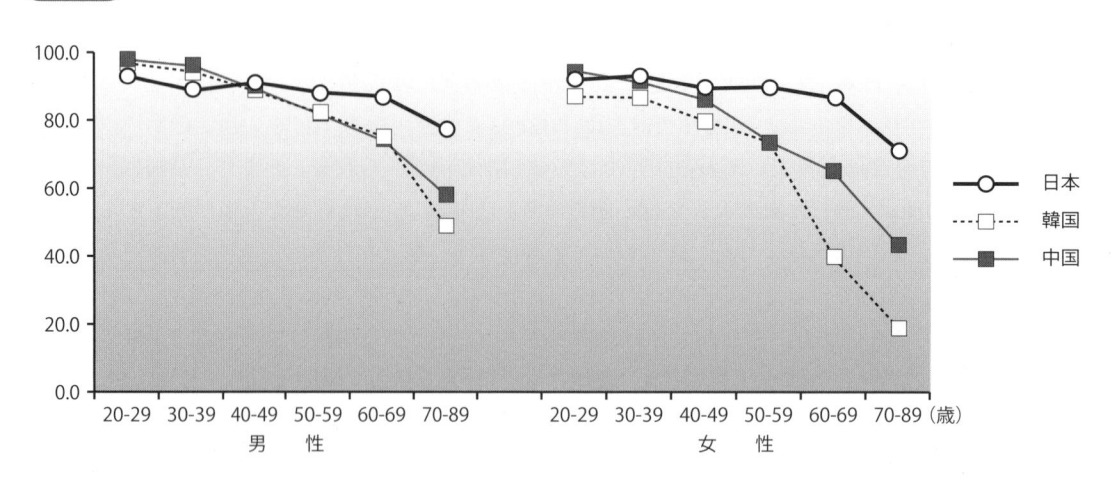

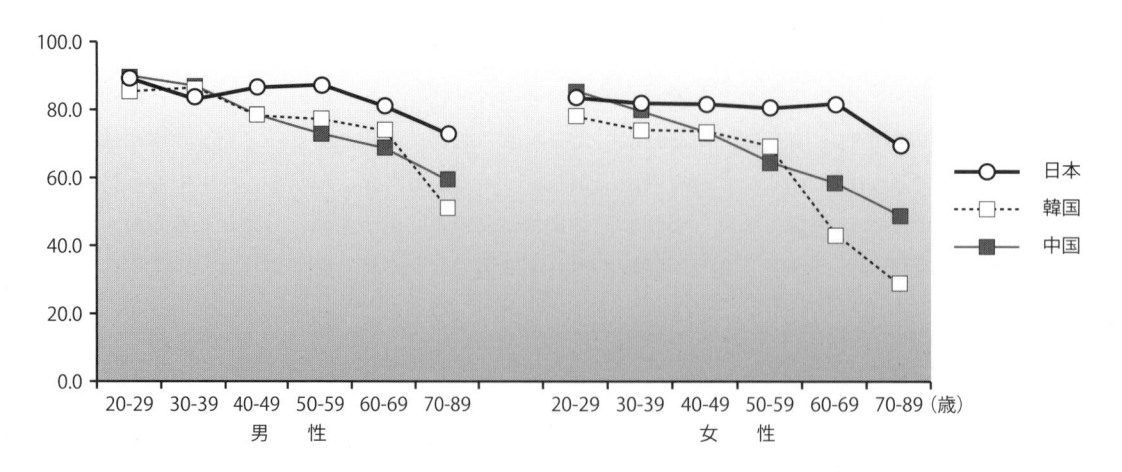

図 3-13 c 性・年齢別にみた健康状態 3. 日常役割機能（身体）

第 3 章 健康状態

図 3-13 d　性・年齢別にみた健康状態 4. 日常役割機能（精神）

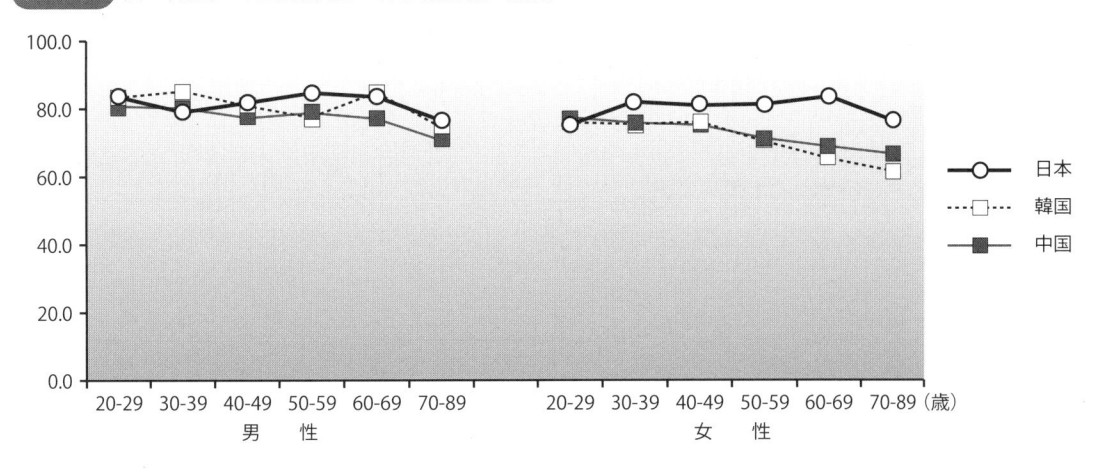

図 3-13 e　性・年齢別にみた健康状態 5. 体の痛み

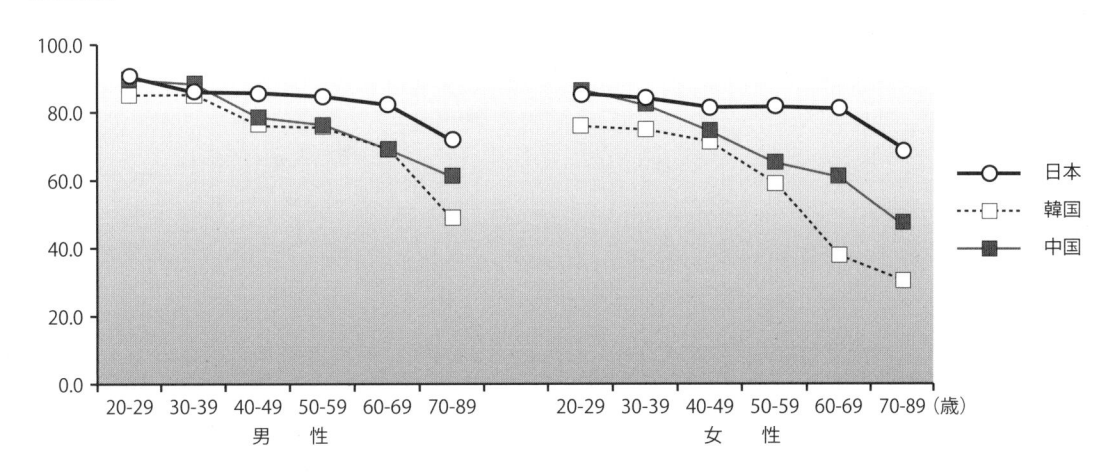

図 3-13 f　性・年齢別にみた健康状態 6. 心の健康

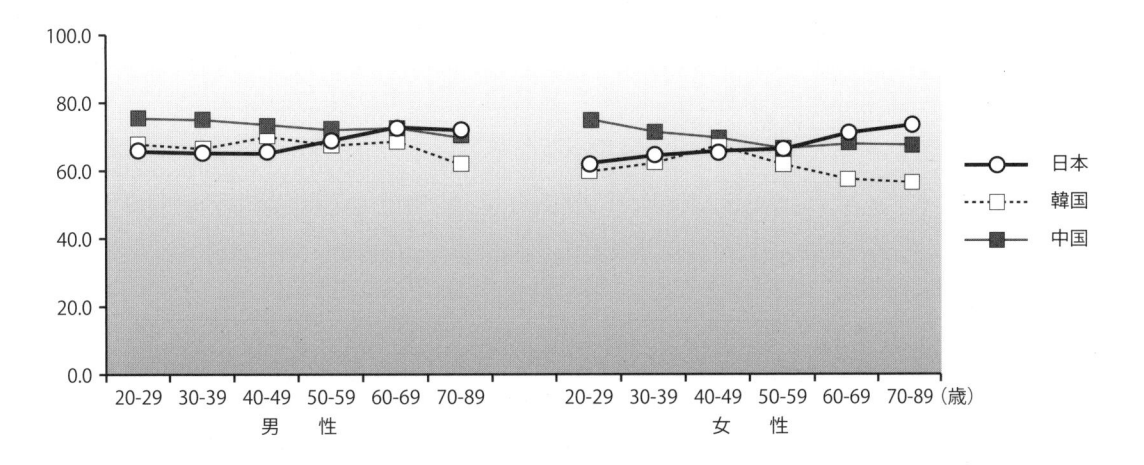

図 3-13 g 性・年齢別にみた健康状態 7. 活力

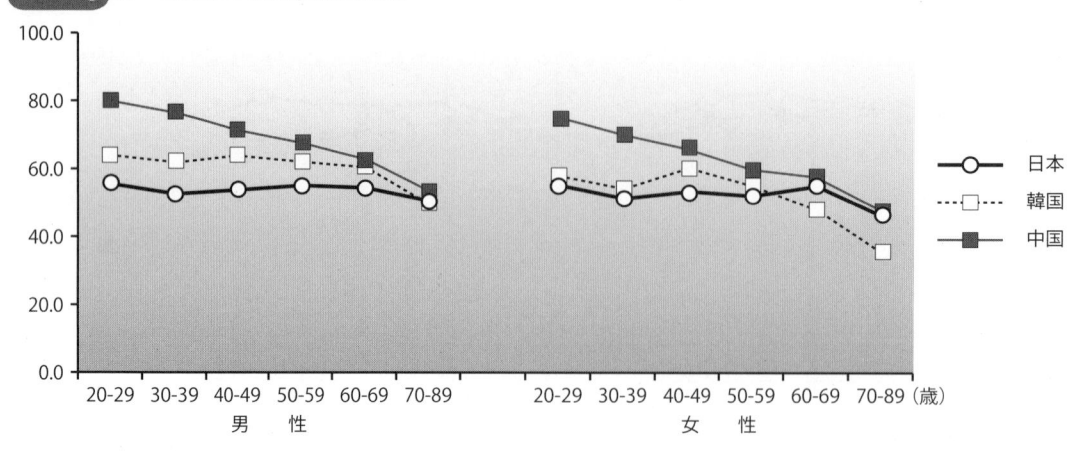

図 3-13 h 性・年齢別にみた健康状態 8. 社会生活機能

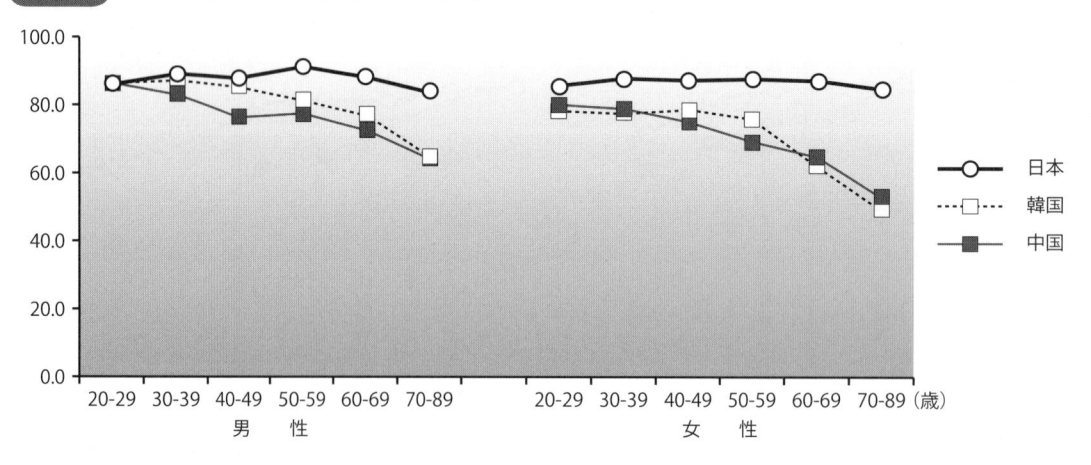

3.14　慢性的な病気や健康問題がありますか

　ここからは，より狭義の健康問題として，慢性的な疾患があるかどうかについて調べた結果を確認していく。EASS では，慢性的な病気・健康問題の有無に加えて，高血圧，糖尿病，心血管疾患，呼吸器疾患，そしてその他の疾患のそれぞれについても有無を尋ねている。ある時点で疾患がある人の割合は有病率と呼ばれるが，ここで示されるのは回答者の自己申告に基づく有病率であり，医師の診断ではない点には留意が必要である。

■ 病気・健康問題を抱える人が多い日本？

　まず，種類に関係なく慢性的な病気や健康問題を抱えている人がどの程度いるのかをみてみよう。図 3-14a は，国・地域ごとに単純集計した結果である。これによると，病気・健康問題のある人は日本でもっとも多くなっている。しかし，有病率は年齢によって強い影響を受けるため，年齢の影響を調整していないこのグラフから日本が「不健康」であると判断することはできない。そこで，図 3-14b に示された性・年齢別の集計値を確認してみよう。年齢別にみた場合にも，日本の男性や若年層の女性は他の国・地域よりも高い有病率を示している。このことの解釈はむずかしいが，日本の調査票では主要な疾患（高血圧，糖尿病等）だけでなく，多数の疾患のそれぞれについて有無を尋ねる形式を取っているため，そのことが回答者に病気や健康問題があると認識させるケースがあったのかもしれない（事実，日本では「その他」の病気の割合が非常に高くなる。3.19 参照）。また，回答そのものは自己申告であるが，医師の診断や健康診断の結果に基づいて病気や健康問題を認識している人も多いと考えられることから，先にみた日本における健康診断の受診率の高さ（2.9）なども影響した可能性がある。なお，いずれの国・地域においても，慢性的な病気をもつ人の割合は年齢が上がるにつれて高くなる傾向が明瞭にみられる。20 代では概ね 20% 未満に過ぎないが，70-89 歳では 70% 前後の回答者が慢性的な病気や健康問題があると答えている。

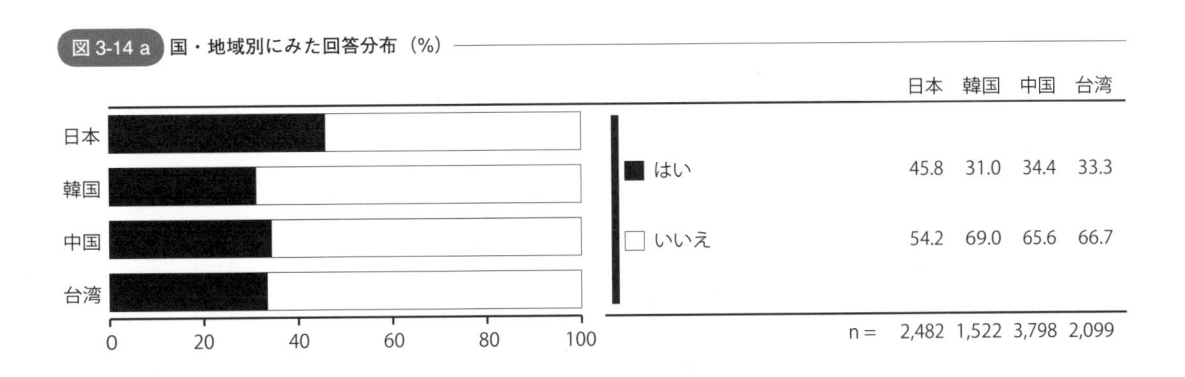

図 3-14 a　国・地域別にみた回答分布（%）

	日本	韓国	中国	台湾
■ はい	45.8	31.0	34.4	33.3
□ いいえ	54.2	69.0	65.6	66.7
n =	2,482	1,522	3,798	2,099

図 3-14 b 性・年齢別にみた慢性的な病気をもつ人の割合（％）

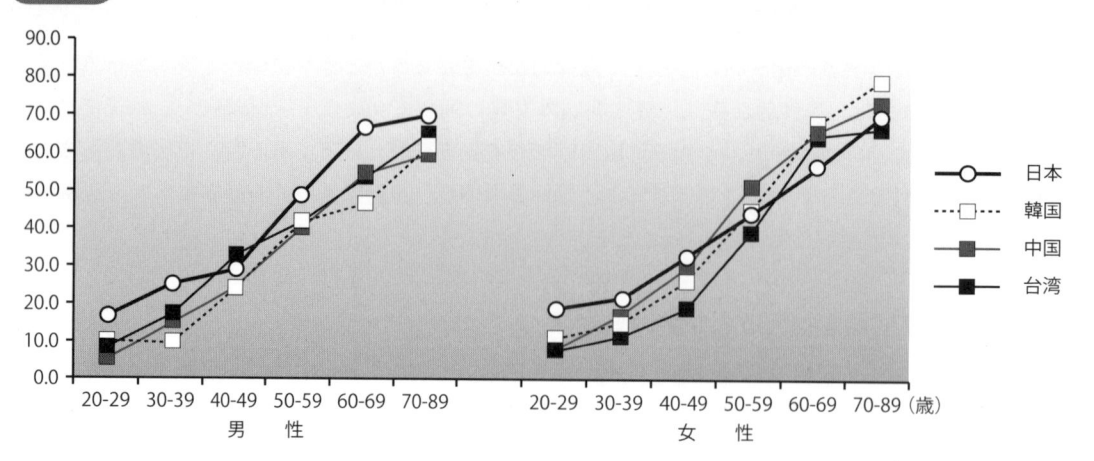

3.15 慢性的な病気 ①高血圧

以下では個別の病気・健康問題についての有病率をみていく。まず一つ目は，高血圧である。高血圧は，遺伝や塩分の過剰摂取などの生活習慣を原因とし，脳卒中や心臓病のリスクを高めることが知られている。

■ **日韓中台ともに高齢者に多い高血圧**

図 3-15a は，高血圧があると回答した人の割合を，国・地域別に集計した結果である。日本がもっとも多く 15.4%，次いで台湾（14.7%），韓国（12.0%）と続き，もっとも少ないのが中国（9.8%）である。ただし，この値は日本の回答者に高齢者が多いことを反映した結果であり，年齢層別にみると，必ずしも日本で高い割合を示す訳ではない（女性の場合はむしろ低い）（図 3-15b）。各国・地域ともに加齢に伴う有病率の増加は共通しており，40-50 代で割合が上昇し始め，60 代以上では概ね 2-3 割の回答者が高血圧を報告している。

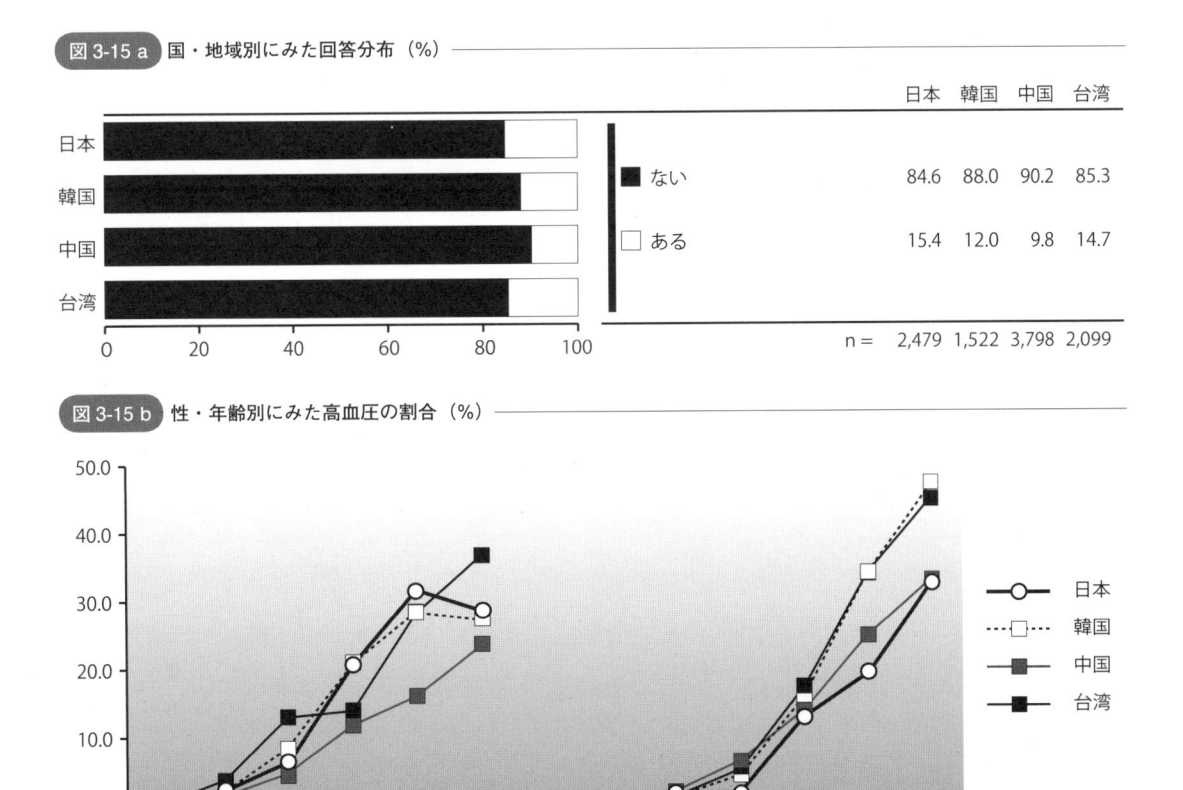

図 3-15 a 国・地域別にみた回答分布（%）

	日本	韓国	中国	台湾
ない	84.6	88.0	90.2	85.3
ある	15.4	12.0	9.8	14.7
n =	2,479	1,522	3,798	2,099

図 3-15 b 性・年齢別にみた高血圧の割合（%）

3.16　慢性的な病気 ②糖尿病

続いて，糖尿病についてみてみよう。糖尿病も，食生活や運動不足を原因とする代表的な生活習慣病の一つである。

■ 中国の男性において報告が少ない糖尿病

国・地域別にみると（図3-16a），糖尿病があると答えた人の割合は，中国でもっとも少なく2.6%，台湾で7.9%，日本・韓国では概ね6%前後であった。年齢別にみると（図3-16b），男性では日本・韓国・台湾での有病率は類似したパターンを示している。ただし女性の場合，日本では高齢層における有病率が韓国・台湾よりも低くなっている。中国ではとくに男性において糖尿病を報告する人が非常に少なく，加齢による割合の上昇も限定的である。とはいえ，中国においても近年は生活習慣の変化などによって糖尿病の増加が指摘されており，2007-8年にかけて実施された調査では有病率が10%程度と見積られている（New England Journal of Medicine 362:1090-1101, 2010）。健康診断の頻度や病気に対する知識などによって，自己申告データでは有病率が低く報告される可能性があり，中国の場合にはその影響が相対的に大きいのかもしれない。

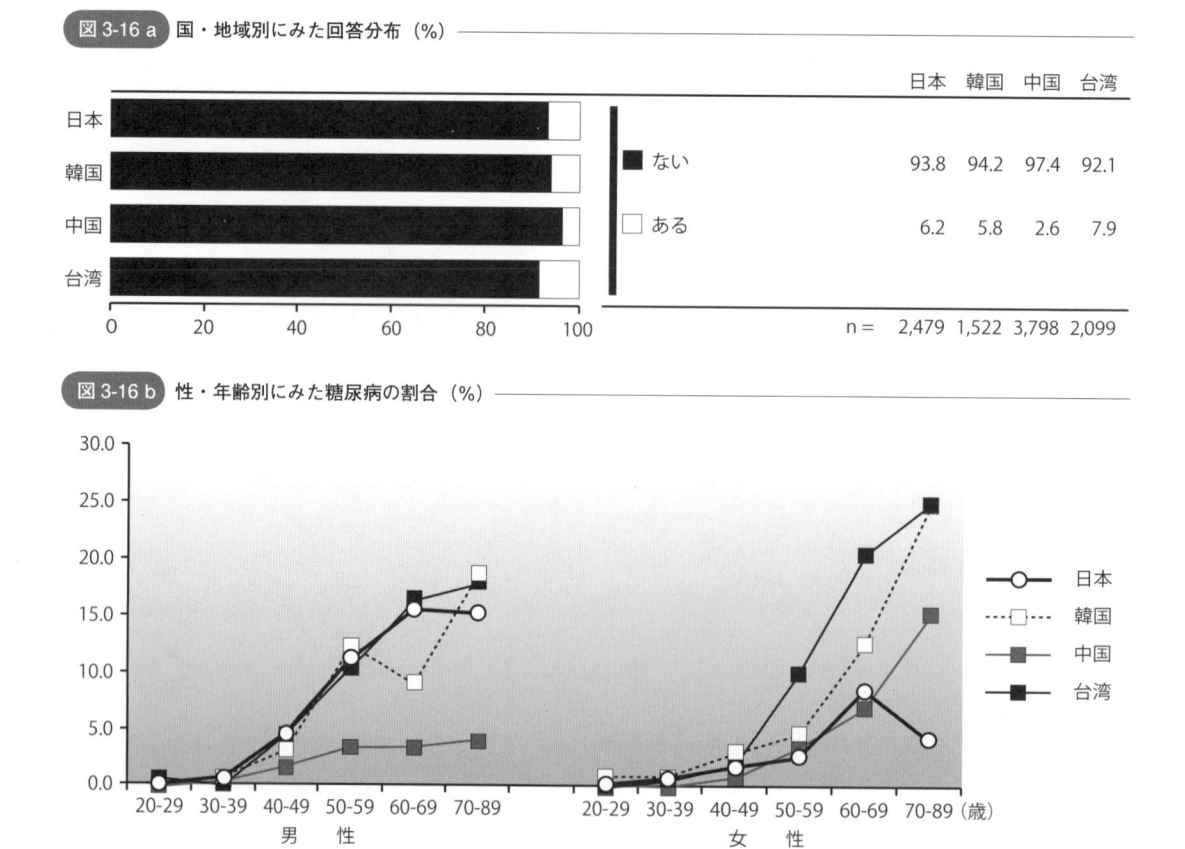

図3-16 a 国・地域別にみた回答分布（%）

	日本	韓国	中国	台湾
ない	93.8	94.2	97.4	92.1
ある	6.2	5.8	2.6	7.9
n =	2,479	1,522	3,798	2,099

図3-16 b 性・年齢別にみた糖尿病の割合（%）

3.17　慢性的な病気 ③心血管疾患

心血管疾患は心臓や血管の病気であり，先にみた高血圧や糖尿病のほか，喫煙や食生活などの生活習慣によってもリスクが高まることが指摘されている。

■ 心血管疾患の割合が低い日本の高齢女性

図 3-17a は，心血管疾患があると回答した人の割合を，国・地域別にグラフ化したものである。いずれの国・地域においても割合は小さく，中国の 5.5% が最大，韓国の 3.4% が最小の値である。図 3-17b はこれを性・年齢別に集計した結果であり，高齢者において有病率が高まる点は国・地域を問わず共通している。ただし，韓国・中国・台湾の場合には，男性よりも女性のほうが高齢層での有病率の上昇が際立っているのに対して，日本ではむしろ男性の方が加齢に伴って有病率が高まる傾向が強いという違いがみられる。

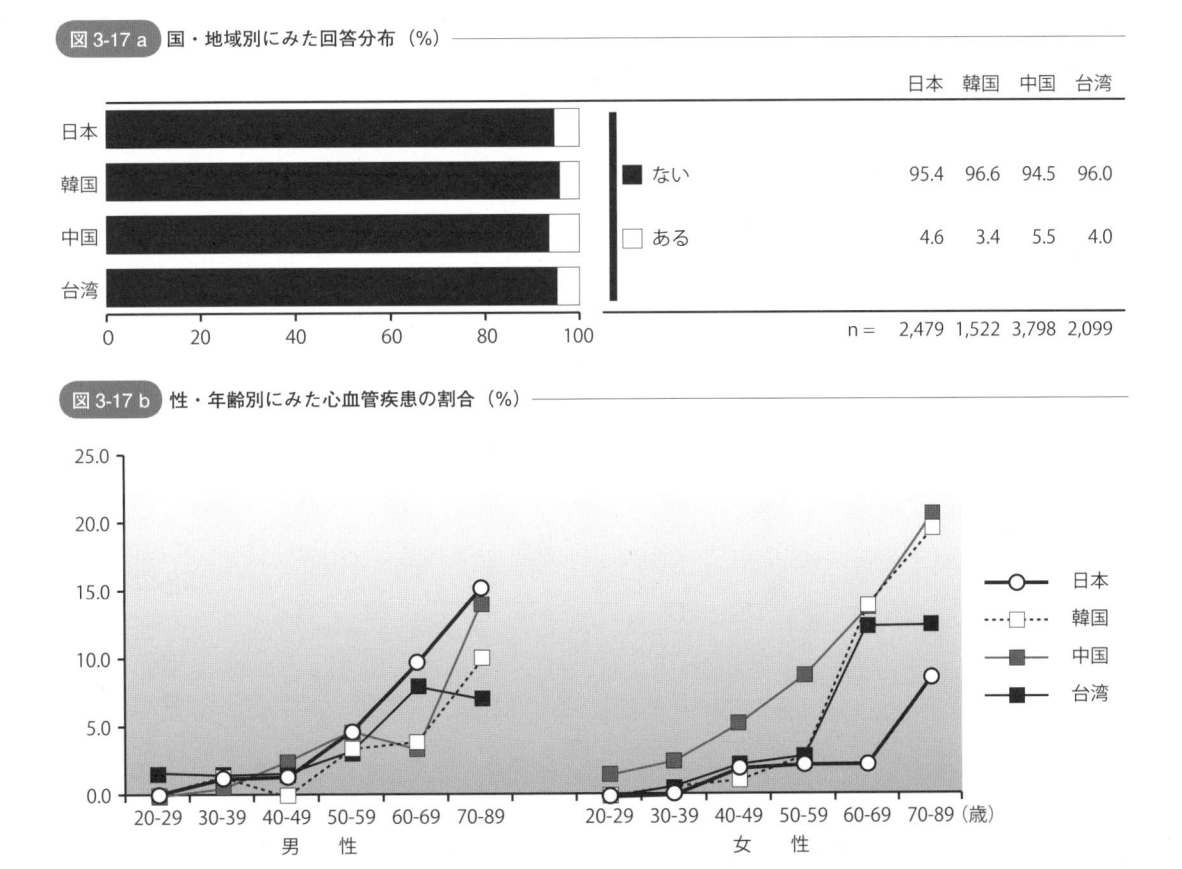

図 3-17 a 国・地域別にみた回答分布（％）

	日本	韓国	中国	台湾
ない	95.4	96.6	94.5	96.0
ある	4.6	3.4	5.5	4.0
n =	2,479	1,522	3,798	2,099

図 3-17 b 性・年齢別にみた心血管疾患の割合（％）

3.18　慢性的な病気 ④呼吸器疾患

　呼吸器疾患は，呼吸器の病気の総称であり，たとえば気管支喘息や肺炎といった病気が該当する。喫煙のような生活習慣のほか，大気汚染や化学物質に対するアレルギー等の環境要因もその原因として考えられている。

■ 呼吸器疾患の割合が高い中国と韓国の高齢者

　図3-18aは，国・地域別に呼吸器疾患があると報告した人の割合を示したものである。いずれの国・地域においても割合は非常に小さく，もっとも値の低い台湾ではわずか2.5%が報告しているに過ぎない。このように有病率が低く，該当するケース数が非常に少なくなるため，性・年齢別に集計したグラフ（図3-18b）でみられる傾向もやや不安定なものとなっている。大まかに言って，韓国と中国では高齢者において高い有病率がみられるものの，日本と台湾ではそのような年齢による差は不明瞭である。

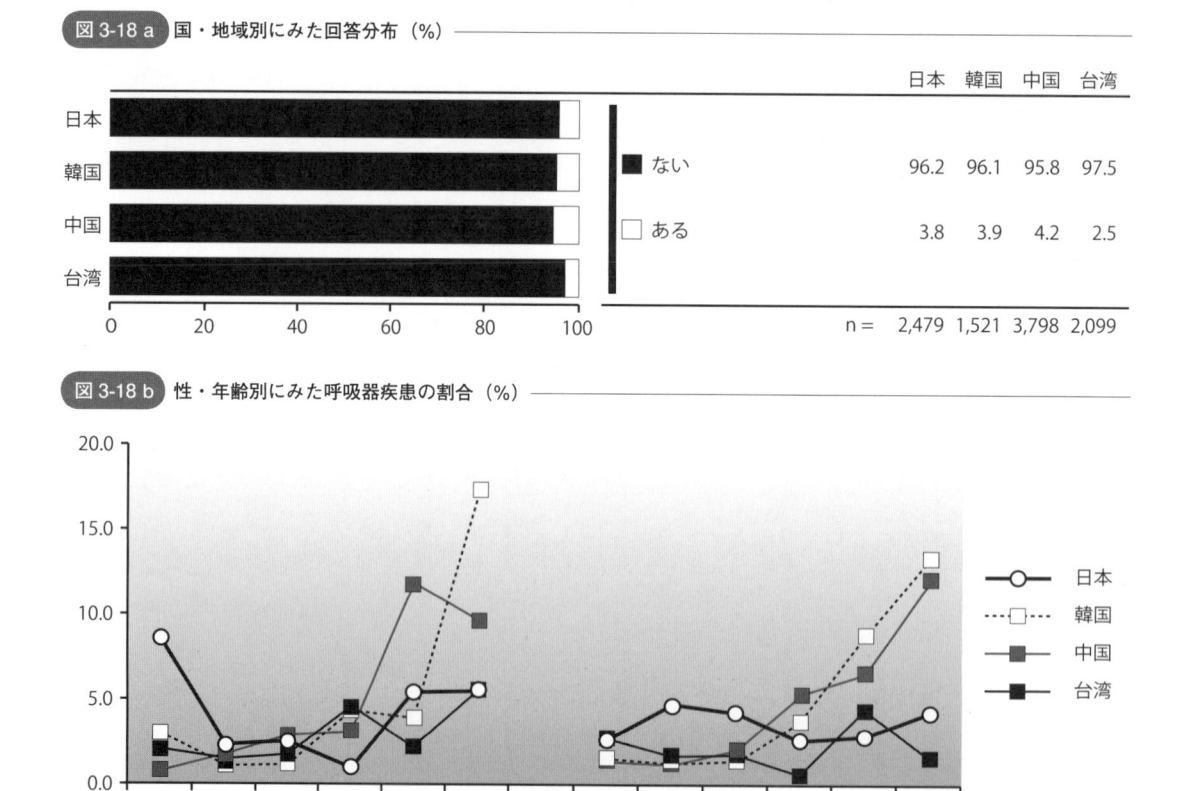

図 3-18 a　国・地域別にみた回答分布（%）

	日本	韓国	中国	台湾
ない	96.2	96.1	95.8	97.5
ある	3.8	3.9	4.2	2.5
n =	2,479	1,521	3,798	2,099

図 3-18 b　性・年齢別にみた呼吸器疾患の割合（%）

3.19 慢性的な病気 ⑤その他

慢性的な病気に関する最後の項目は，ここまでにみてきた4つ（高血圧，糖尿病，心血管疾患，呼吸器疾患）以外に何らかの病気を抱えているかに関するものである。

■ その他の慢性疾患の報告が多い日本

図 3-19a は，その他の慢性的な病気や健康問題があると回答した人の割合を，国・地域別に示したものである。突出してその割合が高いのは日本であり，33.2% の回答者が既出の4つ以外の慢性的な病気があると回答している。また，高齢者ほど何らかの慢性的な病気があると答える人が多くなる傾向は明らかである（図3-19b）。ただし，ここでの「その他」に具体的に何が含まれるのかは，国・地域ごとに調査票の作りが異なるため，厳密な意味では比較し得ない点に留意が必要である。たとえば日本の調査票には，「その他」という選択肢のほか，「脂質異常症（高脂血症など）」，「腰痛・関節痛」といった項目があり，それらも EASS のデータ上は「その他」に含まれている。具体例のあるほうが回答者にとって疾患を認識しやすいという効果が考えられることから，客観的にみても日本で「その他」の慢性疾患が多いのかどうかについては，慎重な解釈が必要になるだろう。

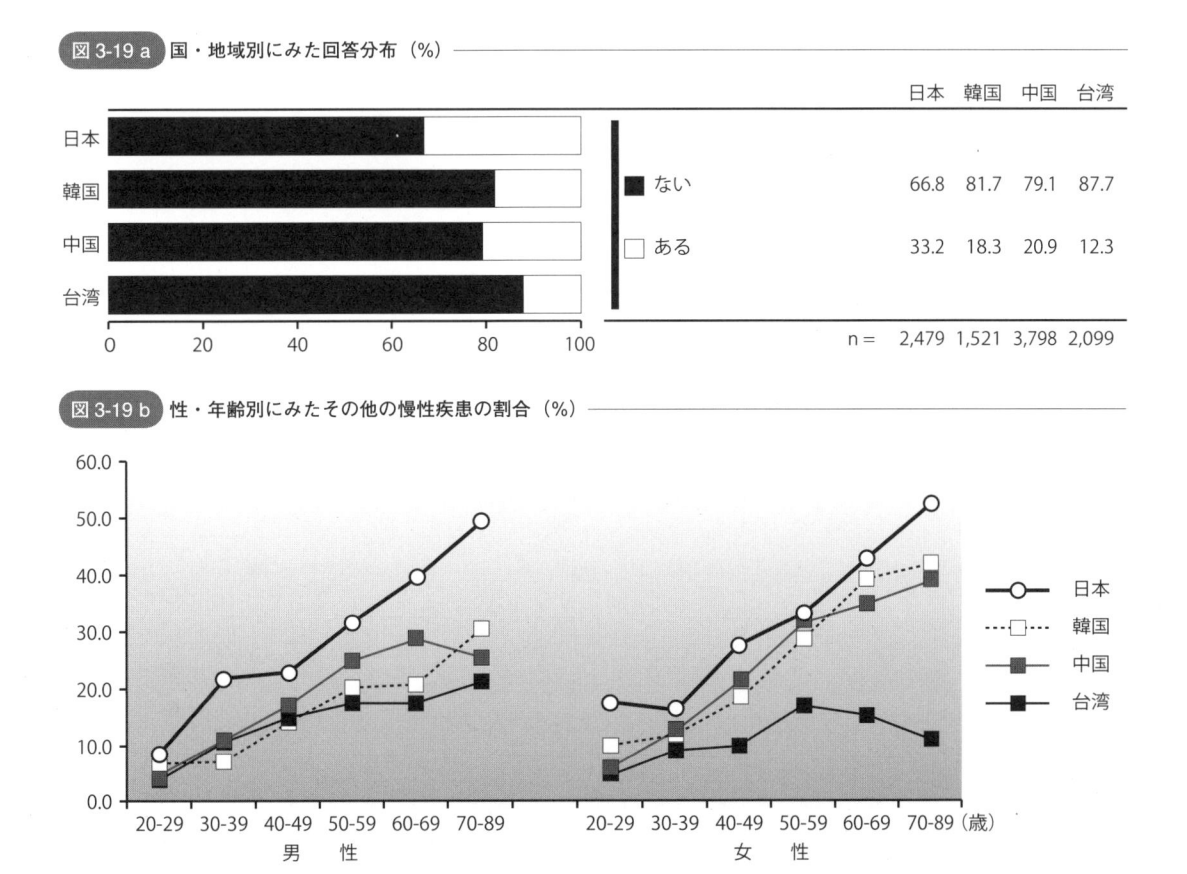

図3-19 a 国・地域別にみた回答分布（%）

	日本	韓国	中国	台湾
ない	66.8	81.7	79.1	87.7
ある	33.2	18.3	20.9	12.3
n =	2,479	1,521	3,798	2,099

図3-19 b 性・年齢別にみたその他の慢性疾患の割合（%）

3.20 体格指数（BMI: Body Mass Index）

　健康状態の最後の指標として，ここでは体格指数（BMI）を取り上げる。BMIは体重（Kg）を身長（m）の二乗で除した値であり，一般に肥満の指標として利用されている。国際的には18.5～25が標準値とされ，それ未満は低体重，それ以上は過体重（30以上は肥満）とされる。世界的に肥満が大きな問題となる中，東アジア地域の状況はどうだろうか。

■ 東アジア地域に共通する，肥満の少なさと若年女性における低体重の多さ

　図3-20aは，4段階に区分されたBMI値の分布を，国・地域ごとにグラフ化したものである。BMIが30を超える肥満の割合は，もっとも多い台湾でも5.4％に過ぎず，日本・韓国・中国では2-3％程度にとどまる。欧米では20-30％が肥満に該当する国も多いことから，東アジア地域では肥満が明らかに少ないことがみてとれる。他方で，BMIが18.5未満の低体重に該当する人は，もっとも少ない台湾で5.3％，もっとも多い中国では10.9％にのぼる。性・年齢別に低体重の分布をみると（図3-20b），男性・女性ともにU字型を示すものの，とりわけ若年女性における低体重の多さは際立っている。2010年の「国民健康・栄養調査」においても20代の女性の29％がやせすぎ（BMI 18.5未満）と報告されている。健康というよりも，美容・ダイエットの面でこのような結果が生じているものと考えられる（コラム1参照）。

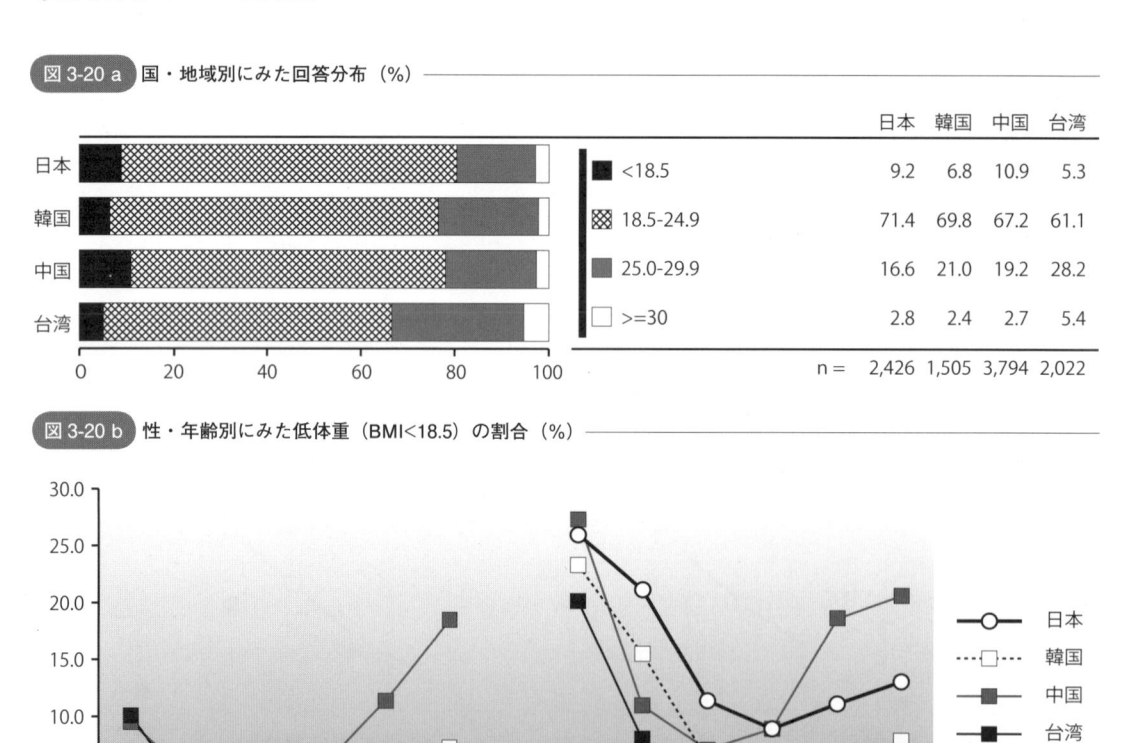

図3-20 a 国・地域別にみた回答分布（％）

	日本	韓国	中国	台湾
<18.5	9.2	6.8	10.9	5.3
18.5-24.9	71.4	69.8	67.2	61.1
25.0-29.9	16.6	21.0	19.2	28.2
>=30	2.8	2.4	2.7	5.4
n =	2,426	1,505	3,794	2,022

図3-20 b 性・年齢別にみた低体重（BMI<18.5）の割合（％）

第4章
医　療

4.1　医者に診てもらっていますか

　第4章では，医療に関する項目についてみていく。取り上げるテーマは，受診行動，医療不安，医療アクセス，そして補完代替医療の利用に至るまで幅広い。まずここでは，受診の頻度についてみてみよう。東アジア地域の人々は，どのくらいのペースで医者に診てもらっているのだろうか。

■ 受診頻度の高い韓国の高齢女性

　図 4-1a は，過去1年間に医師の診断を受けた頻度についての回答分布を，国・地域別に示したグラフである。4カ国・地域のいずれも，「年に数回」受診したという回答がもっとも多く，台湾ではその割合が 61.0% に達する。中国では「年に1回程度」「まったくない」とする回答も多く，「年に数回」以下を合計すると9割近い。反対に受診頻度が高いのは日本と韓国であり，韓国の場合は「週に数回以上」と頻繁に病院に行く人が多いのが特徴である。週当たりの受診日数に換算して性・年齢別に平均値をみると（図 4-1b），高齢者ほど受診頻度が高くなる傾向は国・地域や性別を問わずみられるものの，とりわけ韓国の高齢女性では受診頻度が著しく高くなっている。

図 4-1 a 国・地域別にみた回答分布（%）

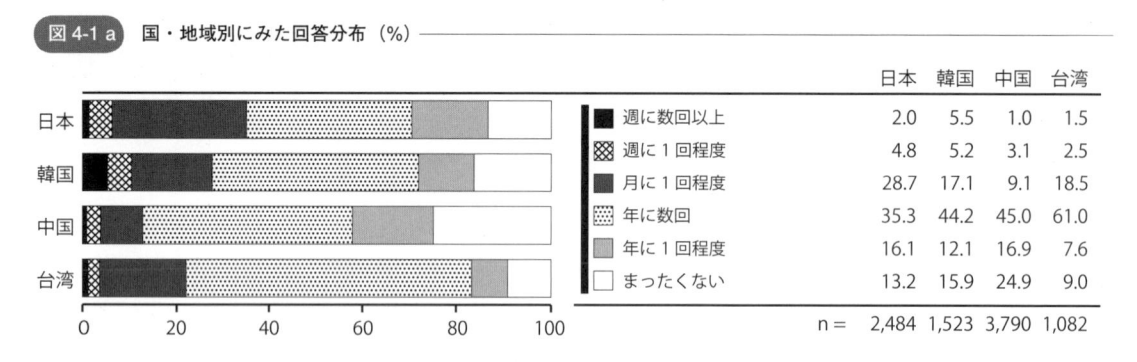

	日本	韓国	中国	台湾
週に数回以上	2.0	5.5	1.0	1.5
週に1回程度	4.8	5.2	3.1	2.5
月に1回程度	28.7	17.1	9.1	18.5
年に数回	35.3	44.2	45.0	61.0
年に1回程度	16.1	12.1	16.9	7.6
まったくない	13.2	15.9	24.9	9.0
n =	2,484	1,523	3,790	1,082

図 4-1 b 性・年齢別にみた週当たり受診日数の平均値

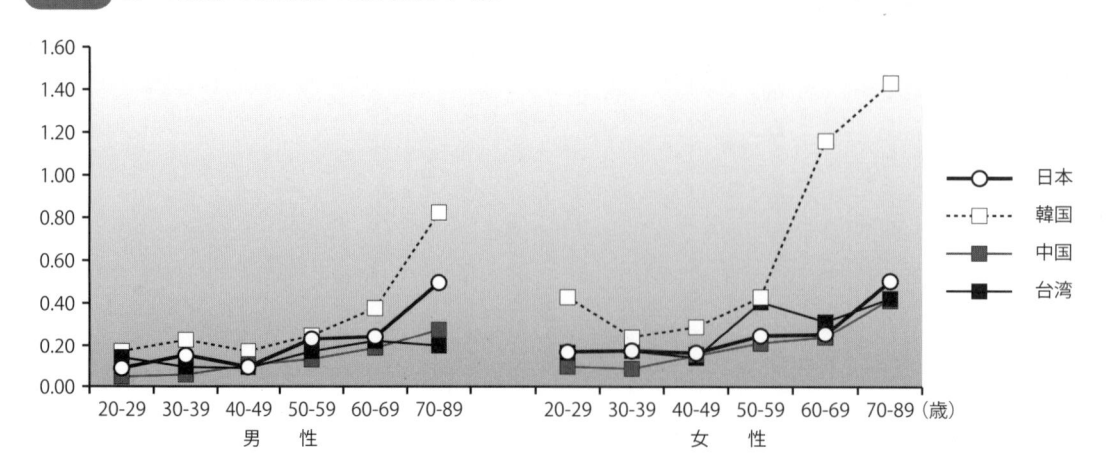

4.2 医療保険に入っていますか

病気や怪我をして病院に行く必要のあるとき，医療保険の有無や種類が受診行動に影響する可能性がある。受診抑制については後で詳しくみていくが，ここではまず，医療保険の加入状況の実態を確認しておこう。

■ 公的医療保険のみに入っている人の多い中国

図 4-2a には，入っている医療保険の種類について尋ねた結果を示した。「公的医療保険のみ」と回答した人の割合は，中国（77.3%），日本（44.6%），台湾（39.8%），韓国（36.7%）の順に高い。台湾と韓国では，公的医療保険に加えて民間の医療保険にも加入しているケースが 50% を超える。公的医療保険のみの割合を性・年齢別にみてみると（図 4-2b），中国を除く国・地域では 30 代・40 代で低く，この世代では民間医療保険への加入が多いものと考えられる。なお，いわゆる国民皆保険制度が確立されている日本と韓国でも公的医療保険に未加入の人が一定数みられるが，たとえば日本では「医療保険」という用語の受け取り方が民間の医療保険をより強く想起させる結果となったかもしれない。

図 4-2 a 国・地域別にみた回答分布（%）

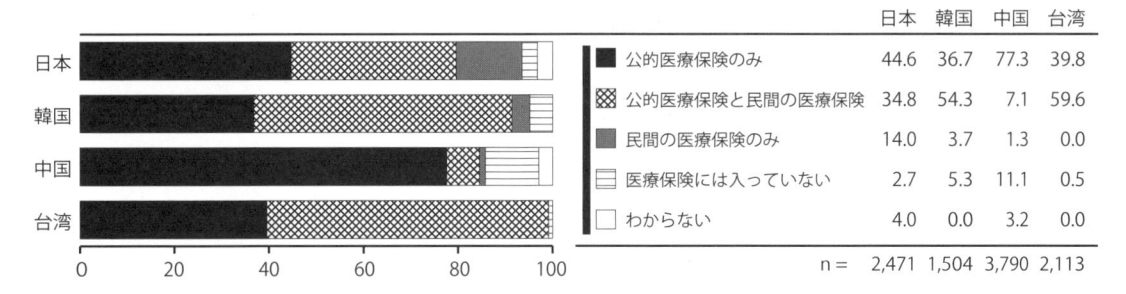

	日本	韓国	中国	台湾
公的医療保険のみ	44.6	36.7	77.3	39.8
公的医療保険と民間の医療保険	34.8	54.3	7.1	59.6
民間の医療保険のみ	14.0	3.7	1.3	0.0
医療保険には入っていない	2.7	5.3	11.1	0.5
わからない	4.0	0.0	3.2	0.0
n =	2,471	1,504	3,790	2,113

図 4-2 b 性・年齢別にみた公的医療保険のみ入っている人の割合（%）

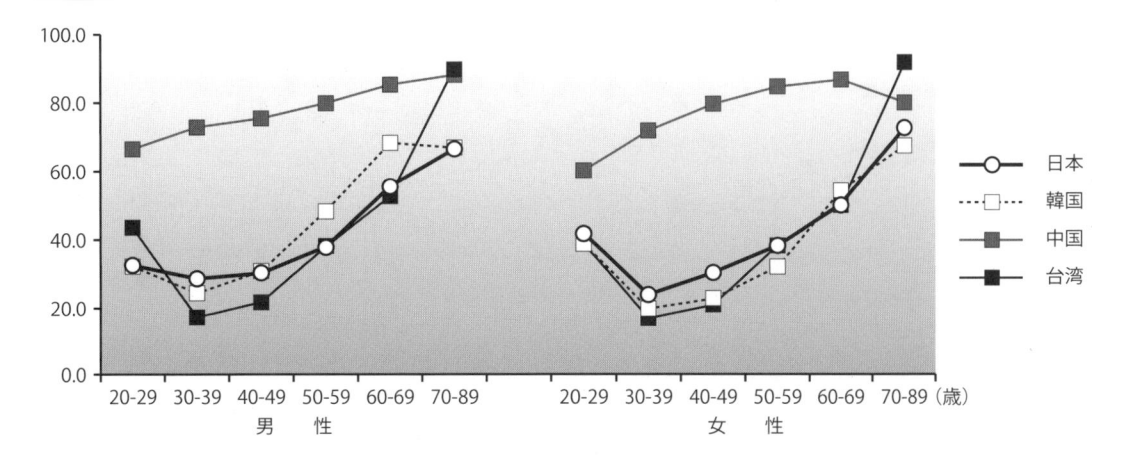

4.3 医療を受けられない不安がありますか

　病気や怪我をした場合でも，適切な治療を受けられることが分かっていれば安心して生活できるだろう。しかし，長らく国民皆保険制度を続ける日本でさえ，近年では医師不足や病院閉鎖などが問題となり，いつでも・どこでも・誰でも医療を受けることができるとは必ずしも言い切れない状況も生じている。医療に対して，人々はどの程度の不安をもっているのだろうか。

■ 中国で強く，日本と韓国で弱い，医療を受けられない不安

　図4-3aは，医療を受けられない不安感を4段階で尋ねた結果である。もっとも不安感が強く表明されたのは中国であり，「非常に不安」（46.0%）という回答が「まったく不安はない」（9.3%）を大きく上回る。反対に不安感が弱いのは韓国であり，「非常に不安」（12.9%）よりも「まったく不安はない」（26.7%）という回答が2倍以上多い。日本も韓国と似た回答分布を示すものの，性・年齢別にみると異なる様子がみられる（図4-3b）。韓国とは異なり，日本では年齢とともに不安感が弱まる傾向がある。このことが加齢に伴う変化を意味するのか，世代効果によるものなのかは定かでないが，医療や年金など社会保障に対する将来的な不安感を，日本では若年層がより強く感じていることの反映なのかもしれない。

図 4-3 a　国・地域別にみた回答分布（％）

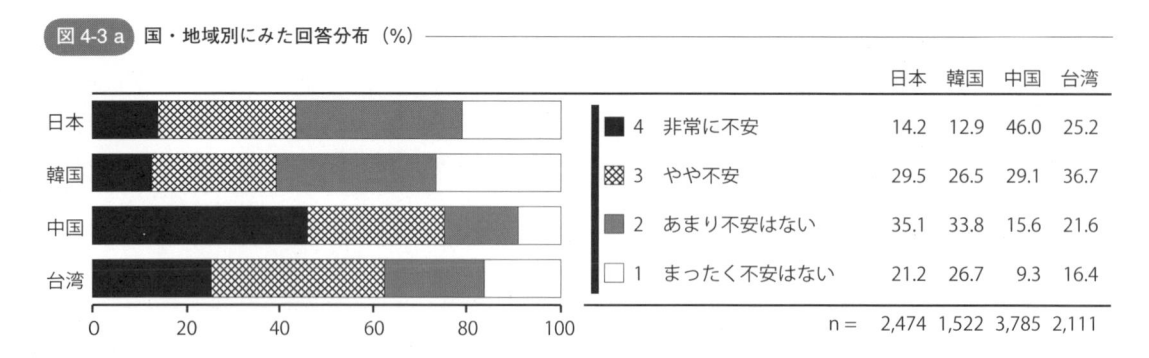

	日本	韓国	中国	台湾
4　非常に不安	14.2	12.9	46.0	25.2
3　やや不安	29.5	26.5	29.1	36.7
2　あまり不安はない	35.1	33.8	15.6	21.6
1　まったく不安はない	21.2	26.7	9.3	16.4
n =	2,474	1,522	3,785	2,111

図 4-3 b　性・年齢別にみた医療を受けられない不安感の平均値

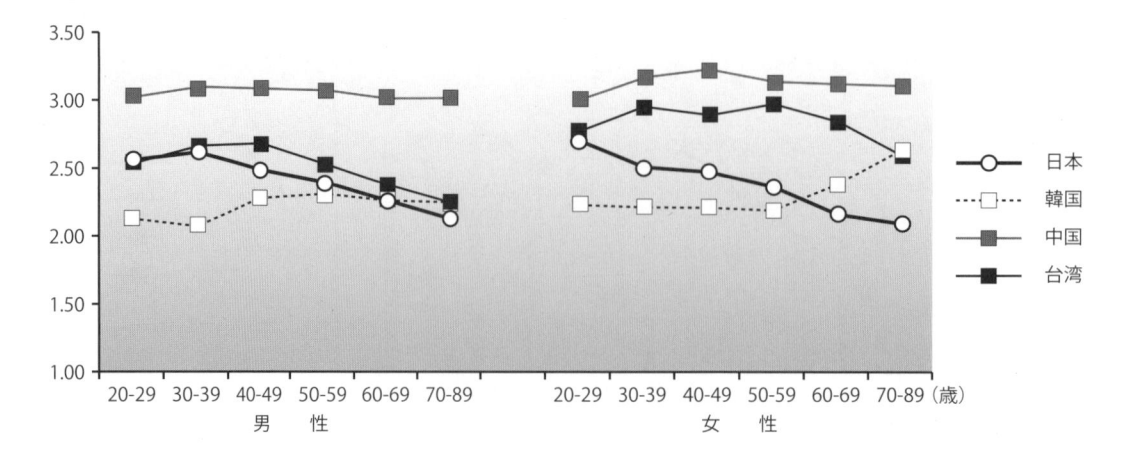

4.4　医療費を払えない不安がありますか

　医療を受けた場合に，医療費を払えるかどうかについても心配している人は多いだろう。もちろん多くの人は医療保険に加入しているが（4.2 参照），保険でカバーできない費用や，自己負担分の費用が高額になるケースもありうる。人々はどのくらい医療費の支払いに不安を感じているのだろうか。

■ 医療費に対する不安感の強い中国，弱い日本の高齢者

　医療を受けられるかどうか，という質問と同様に，医療費を払えない不安感についてももっとも高いのは中国であり，反対に低いのは日本，韓国であった（図 4-4a）。ただし，いずれも国・地域においても，受療（4.3 参照）よりも医療費に対して「非常に不安」と感じる人のほうが多くなっており，医療そのものよりも医療費の支払いに対する不安感の広まりが読み取れる。性・年齢による大きな違いは認められないものの（図 4-4b），ここでも日本の高齢者において不安感が弱い傾向はみられる。年齢による不安感の低下は連続的にみられることから，窓口負担の割合が違うということ以外に，日本では高齢者ほど医療不安を感じにくい（あるいは若年層ほど感じやすい）何らかの環境が存在しているようである。

図 4-4 a 国・地域別にみた回答分布（％）

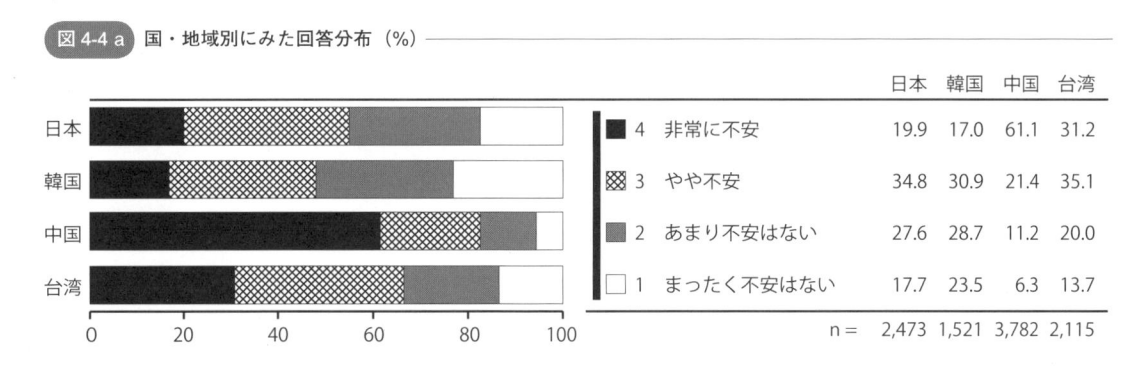

	日本	韓国	中国	台湾
4 非常に不安	19.9	17.0	61.1	31.2
3 やや不安	34.8	30.9	21.4	35.1
2 あまり不安はない	27.6	28.7	11.2	20.0
1 まったく不安はない	17.7	23.5	6.3	13.7
n =	2,473	1,521	3,782	2,115

図 4-4 b 性・年齢別にみた医療費を払えない不安感の平均値

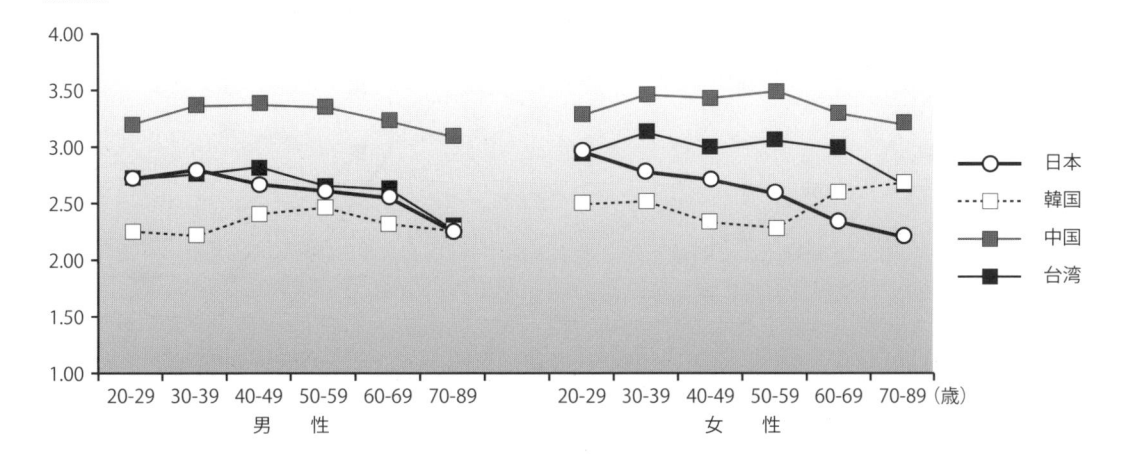

4.5　受診を控えたことがありますか

　ここからは，受診を控えたことがあるかどうかという，受診抑制の経験についてみていこう。これは，先にみた医療や医療費に対する不安感とも密接に関連している。不安感が強ければ受診を抑制しやすいであろうし，受診抑制が症状の悪化や病気の発見を遅らせるようなことになれば，それはさらなる不安感の高まりに結びつく。実際のところ，人々はどのくらいの割合で，受診を控えた経験をもっているのだろうか。

■ 受診抑制が多いのは中国と台湾，そして日本の若年層

　EASSには，「過去1年間に，病気やケガにも関わらず，医師の診断を受けることを控えたことがありますか」という質問があり，控えたことがあるか，ないか，または医者に行くような病気・ケガをしていないかという三択で回答を求めている。図4-5aには，国・地域別の回答分布を示した。「控えたことがある」という回答は，中国（40.2％）と台湾（34.9％）で多く，日本（25.3％）と韓国（20.4％）では相対的に少ない。ただし，日本で受診抑制が少ないのは中・高齢層であり，若年層に関しては中国・台湾と同程度の割合で受診抑制がみられる（図4-5b）。日本の高齢者は医療不安だけでなく，受診抑制も少ない傾向があるといえる。

図4-5a　国・地域別にみた回答分布（％）

	日本	韓国	中国	台湾
控えたことがある	25.3	20.4	40.2	34.9
控えたことはない	59.1	76.1	49.7	59.7
過去1年間に病気・ケガはしていない	15.6	3.5	10.1	5.4
n =	2,484	1,523	3,798	2,121

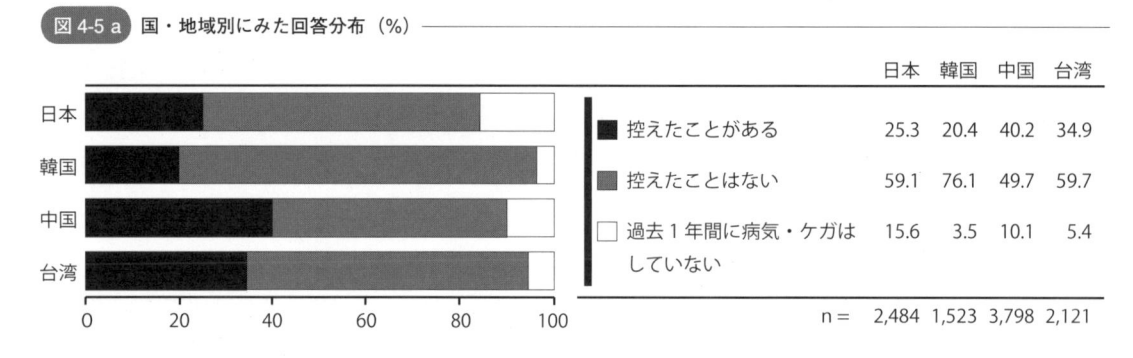

図4-5b　性・年齢別にみた受診を控えたことがある人の割合（％）

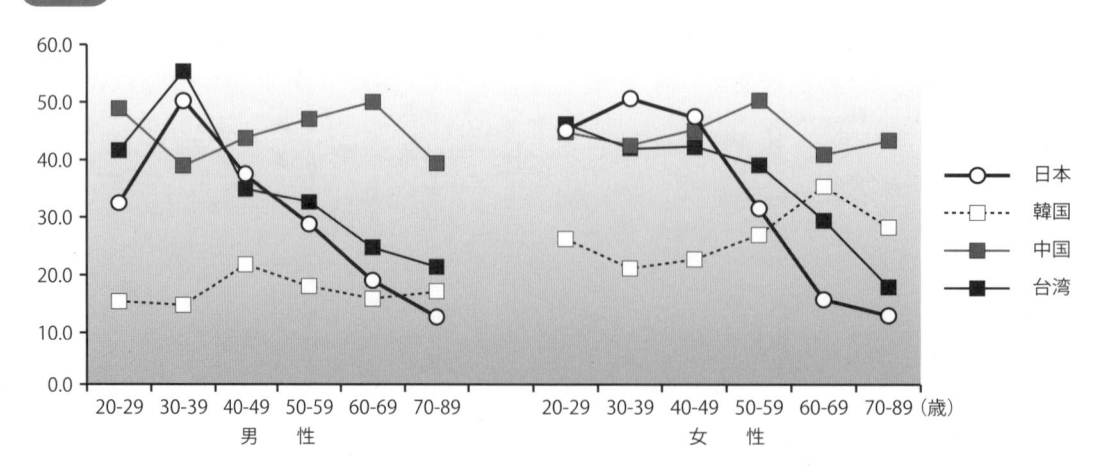

4.6 受診を控えた理由は何ですか

続いて，受診を控えた理由についても確認しておこう。一概に受診抑制と言っても，その理由は人それぞれであろうし，それによって医療アクセスを改善する方策も変わってくるからである。

■ **日韓中に共通する経済的理由による受診抑制**

EASS では，受診を抑制したことがあると回答した人に対して，その理由を 9 種類（＋その他）の中から複数選択で尋ねている（ただし台湾については 3 種類のみ）。図 4-6 は，国・地域別に，それぞれの理由を選択した人の割合を示したものである。いずれの国・地域においても高い値を示すのは「費用がかかる」であり，日本・韓国・中国のいずれも 3 割を超える回答者（受診抑制経験者に限る）がこれに該当する。多くの人は医療保険に入っているにも関わらず（4.2 参照），費用を理由に受診を抑制した経験があると報告していることは，医療の公平性という観点からは見逃せないデータであろう。

国・地域による差が大きい理由としては，「待ち時間が長い」「忙しくて時間がない」が挙げられ，いずれも日本が他の国・地域を大きく上回る。また韓国では「病院に行くのは好きではない」がもっとも多く 50.8% にのぼる。「病院が近くにない」「交通手段がない」といった地理的なアクセスを受診抑制の理由に挙げる人は，各国・地域ともにそれほど多くはみられなかった。

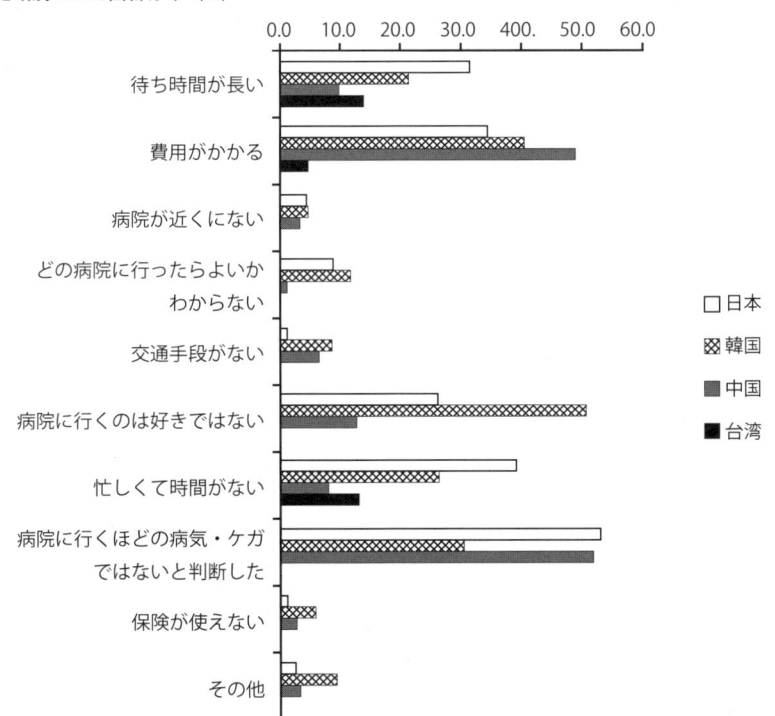

図 4-6 国・地域別にみた回答分布（%）

4.7　鍼・灸を受けたことがありますか

医療に関する最後の項目として，補完代替医療（CAM: Complementary & Alternative Medicine）の受療状況についてみていこう。補完代替医療という用語の指し示す範囲や，具体的にそこに含まれる医療の種類に関して，統一的な定義があるわけではないが，ここではアジア地域である程度一般的に普及していると考えられる「鍼・灸」「漢方薬」「指圧・マッサージ」の三つを取り上げる。

■ 鍼・灸を受けたことがある人が多い韓国の高齢女性

図 4-7a は，鍼・灸を受けたことがあるかどうかについての結果を国・地域別にまとめたものである。受けたことのある人がもっとも多いのは韓国（32.5%）であり，次いで台湾（15.2%），中国（12.2%），日本（6.0%）の順に多い。図 4-7b は，これを性・年齢別に集計した結果であるが，韓国の 60 代以上の女性では，過半数が鍼・灸を受けたことがあると回答している。ただし若年層に限ると，二番目に割合が高い台湾と大きな差はみられなくなる。日本では性別・年齢層を問わず受療経験が 10% 以下と非常に低い。

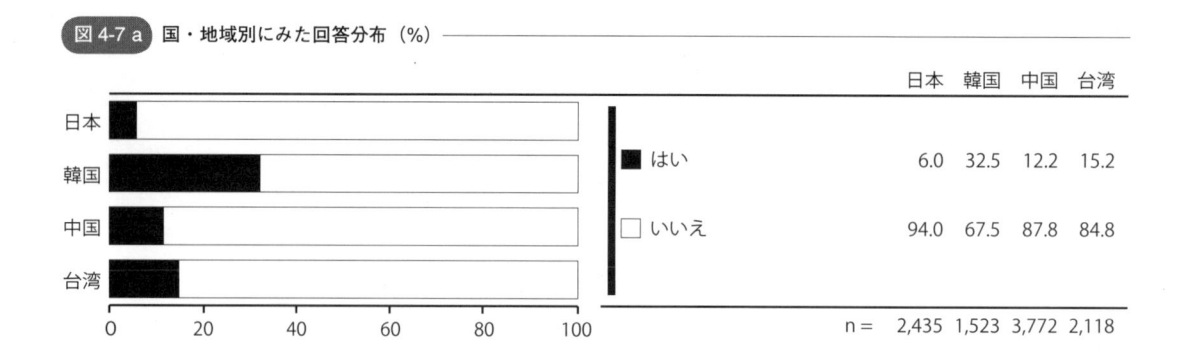

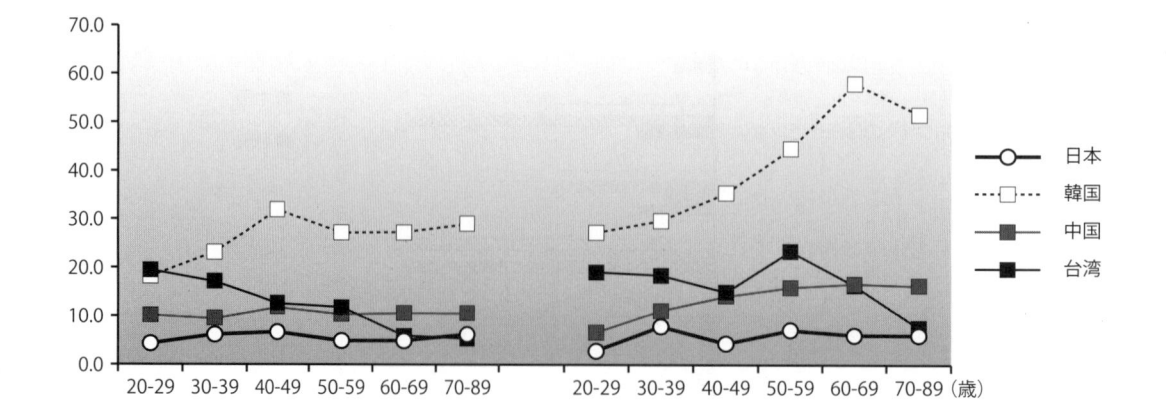

図 4-7 a 国・地域別にみた回答分布（%）

	日本	韓国	中国	台湾
はい	6.0	32.5	12.2	15.2
いいえ	94.0	67.5	87.8	84.8
n =	2,435	1,523	3,772	2,118

図 4-7 b 性・年齢別にみた鍼・灸を受けたことがある人の割合（%）

4.8　漢方薬を使ったことがありますか

続いて，漢方薬を利用したことがあるかどうかについてみてみよう。漢方薬は，漢方医学に基づいて処方される薬の総称である。日本では保険が適用されるものもあり，一般的にもよく知られているが，これを補完代替医療に含めるのかどうかについては議論もある。

■ 漢方薬を使用したことがある割合が高い中国と韓国の高齢者

図 4-8a は，漢方薬を使ったことがあるかどうかについての結果を国・地域別に示したものである。日本がもっとも少なく使用経験は 10.3% にとどまる。これに対して，韓国（21.4%），中国（27.9%），台湾（25.4%）ではいずれも 20% を超える回答者が使用したことがあると報告している。性・年齢別にみてみると（図 4-8b），いずれも男性より女性の方でやや使用経験が高い傾向がみられる。また，中国と韓国では高齢者ほど使用したことのある割合が高いのに対して，台湾では高齢者ほどその割合が低い。日本では年齢による違いははっきりしない。

図 4-8 a 国・地域別にみた回答分布（％）

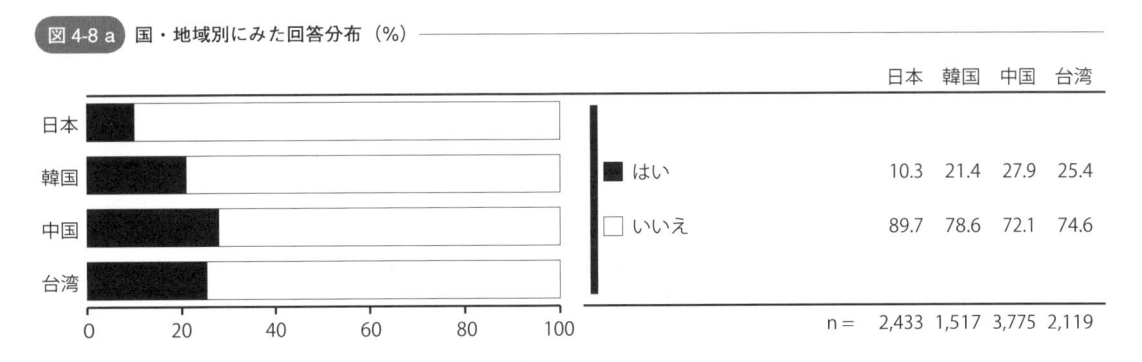

	日本	韓国	中国	台湾
はい	10.3	21.4	27.9	25.4
いいえ	89.7	78.6	72.1	74.6
n =	2,433	1,517	3,775	2,119

図 4-8 b 性・年齢別にみた漢方薬を使ったことがある人の割合（％）

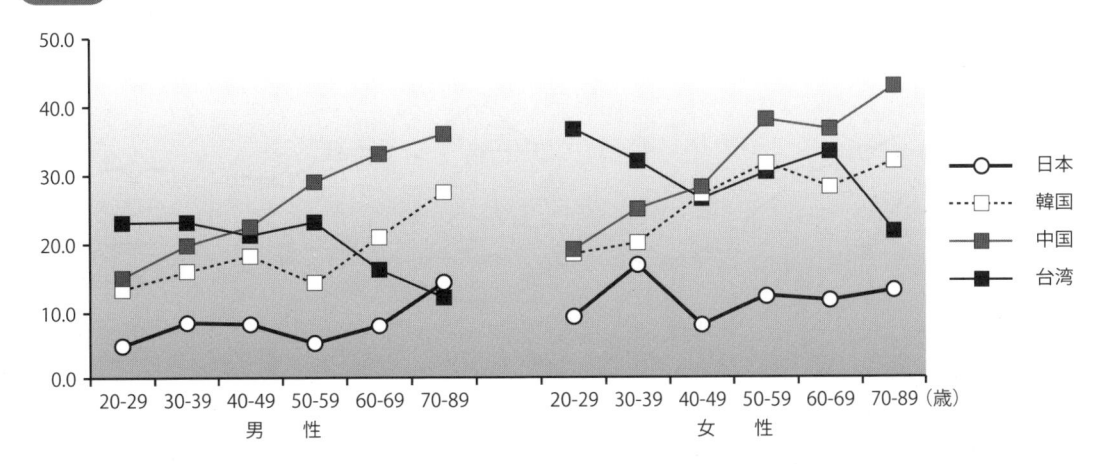

4.9 指圧・マッサージを受けたことがありますか

最後に，指圧やマッサージを受けたことがあるかどうかについてみてみよう。

■ 指圧・マッサージを受けたことのある人が多い日本

図4-9aは，国・地域別に指圧・マッサージを受けたことがある人の割合を示したグラフである。鍼・灸および漢方薬とは異なり，日本がもっとも高い割合を示している（21.5%）。韓国（16.2%），台湾（15.1%）がこれに続き，中国（9.2%）の割合がもっとも小さい。性・年齢別にみると，国・地域によってやや異なる傾向がみてとれる（図4-9b）。日本では男女ともに30代でもっとも高い割合を示し，その後は緩やかに低下する傾向がみられるものの，年齢による傾向は明瞭とはいえない。これに対して，若年層で高く高齢層で低い傾向が明確にみられるのは台湾であり，概ねその逆のパターンを示すのは韓国女性である。中国は性別・年齢層に関わらず低い値を示し，指圧・マッサージがそれほど一般に普及しているとは言えなさそうである。

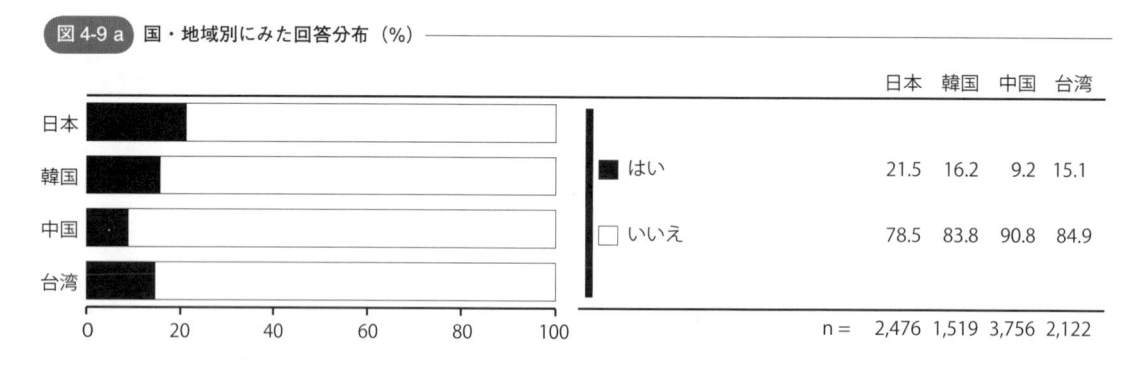

図4-9a 国・地域別にみた回答分布（%）

	日本	韓国	中国	台湾
はい	21.5	16.2	9.2	15.1
いいえ	78.5	83.8	90.8	84.9
n =	2,476	1,519	3,756	2,122

図4-9b 性・年齢別にみた指圧・マッサージを受けたことのある人の割合（%）

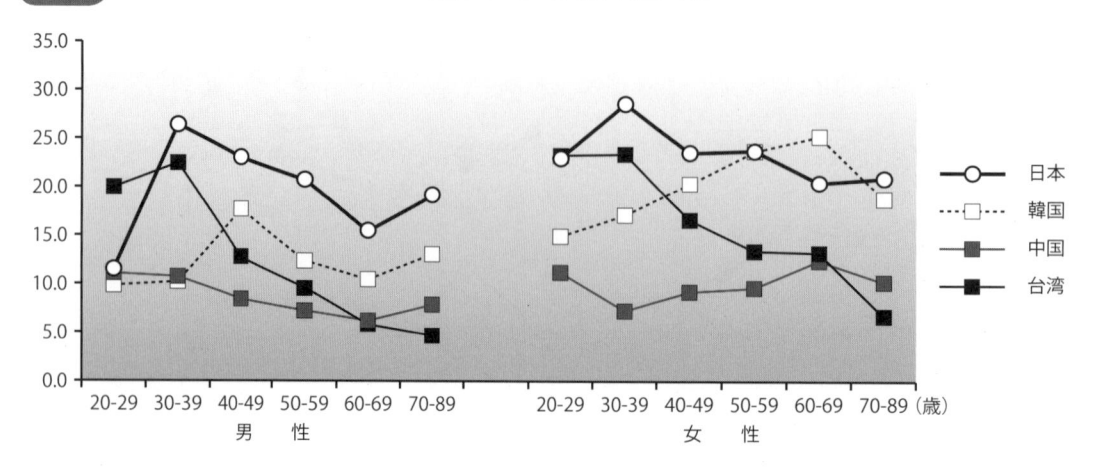

第 5 章

介護・加齢

5.1　介護が必要な方はいますか

　2010年国勢調査によると，日本の人口に占める65歳以上人口の割合（高齢化率）は23.0%にのぼる。日本はすでに本格的な高齢社会を迎え，介護を必要とする人も増加している。これに対して，2000年からは介護保険制度が導入され，高齢化や介護をめぐるさまざまな取り組みがなされている。高齢化率は，韓国では11.3%（2010年；Demographic Yearbook 2011から算出），中国では9.1%（2011年；中国政府・国家統計局発表），台湾では10.9%（2011年；台湾外務省）と，日本よりは低いものの，近年急速に上昇しつつある。韓国でも2008年から介護保険制度に当たる制度が導入されるなど，高齢化や介護の問題は他のアジア地域においてもますます重要になりつつある。

■ 日韓中台で2割を超える，要介護者が家族にいる割合

　図5-1aは，家族に「長期にわたる心身の病気・障がいや高齢のためにケアが必要な方」がいるかどうかを尋ねた結果である。いずれの国・地域においても介護が必要な人がいる割合は2割を超えている。ただし，その割合がもっとも高いのは台湾（31.1%），低いのは韓国（21.3%）であり，必ずしも高齢化の度合いと対応しない。この数字は単に介護を必要とする人の割合を示すものではなく，世帯構成の影響を受ける点に留意が必要である。性・年齢別のグラフ（図5-1b）にみられる日本の70-89歳女性における低い割合も，女性の単身高齢世帯の大幅な増加が影響している可能性が考えられる。

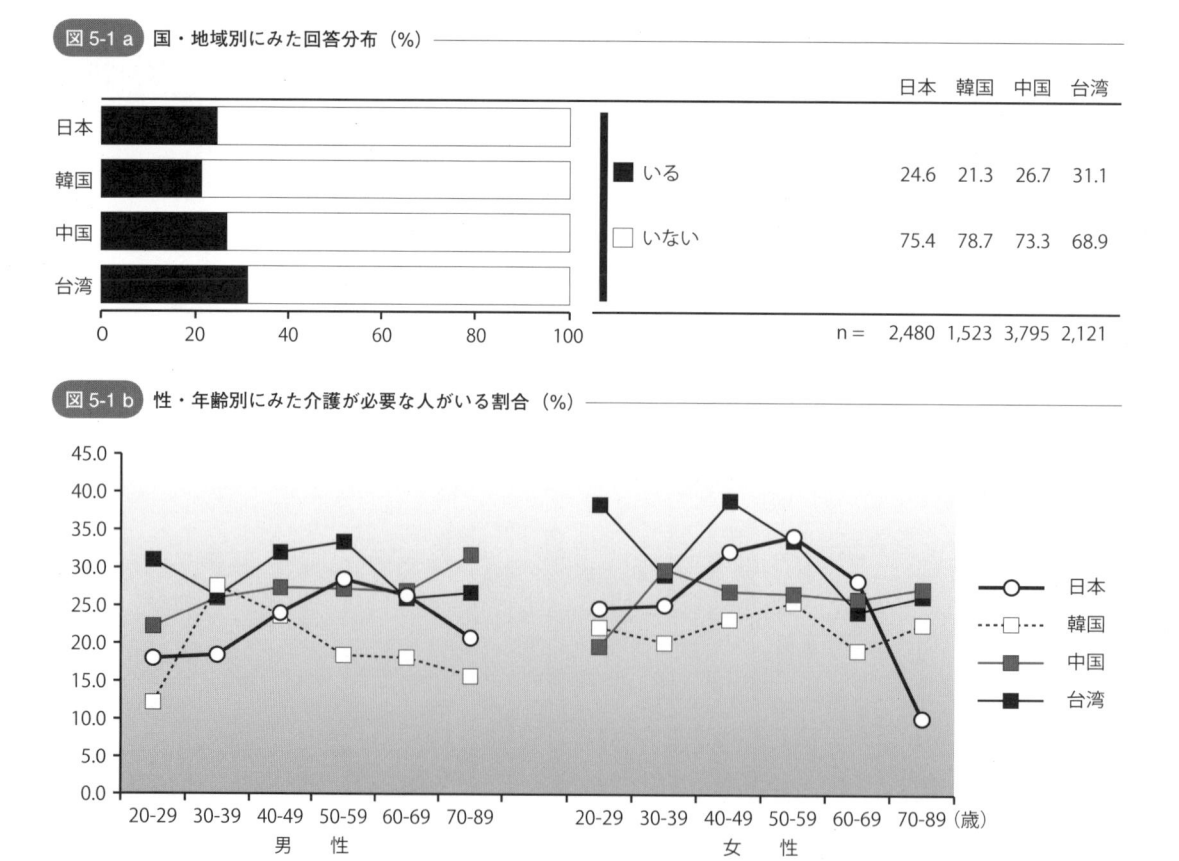

図 5-1 a 国・地域別にみた回答分布（%）

	日本	韓国	中国	台湾
いる	24.6	21.3	26.7	31.1
いない	75.4	78.7	73.3	68.9
n =	2,480	1,523	3,795	2,121

図 5-1 b 性・年齢別にみた介護が必要な人がいる割合（%）

5.2　介護をしていますか

誰が介護を担うのか，という問題は，家族に関わる文化的・規範的な問題であると同時に，介護保険制度をめぐって「介護の社会化」が議論されたように，重要な政策課題でもある。高齢化が急速に進むアジア地域では，今後ますます介護の担い手に関する議論が重要になる。では，実態としてどのくらいの人が介護をしているのだろうか。

■　介護を担っている人が多い中国

EASS では，介護を必要とする人が家族にいるかどうかの質問に続いて，「あなたは，そのご家族のケアを主にしていますか」と尋ねている。図 5-2a は，国・地域別の集計結果である。回答者が介護を主に担っているケースは，中国（69.5%）でもっとも多く台湾（33.1%）でもっとも少ない。性・年齢別に集計すると（図 5-2b），性別に関わらず高齢者ほど介護を担う割合が高くなる傾向がみられる。介護を必要とする人との関係については不明であるものの，高齢者の場合には配偶者のケアを担っているケースが多いものと推察される。

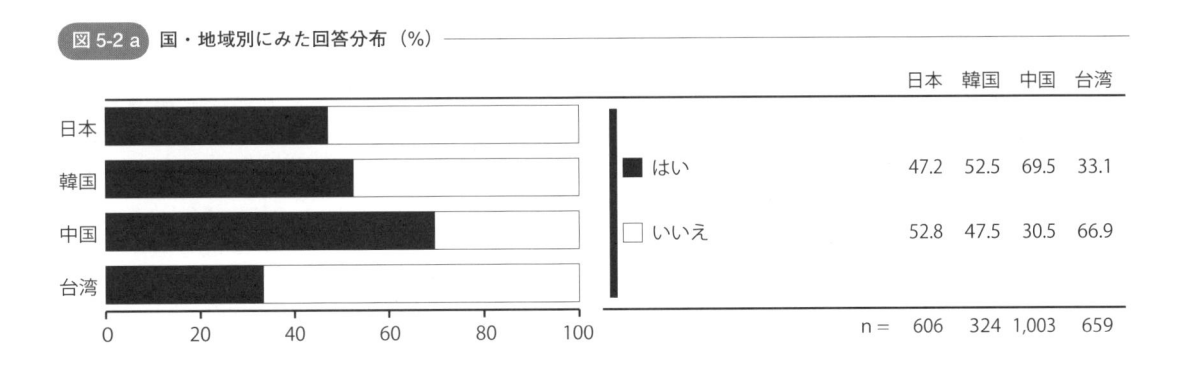

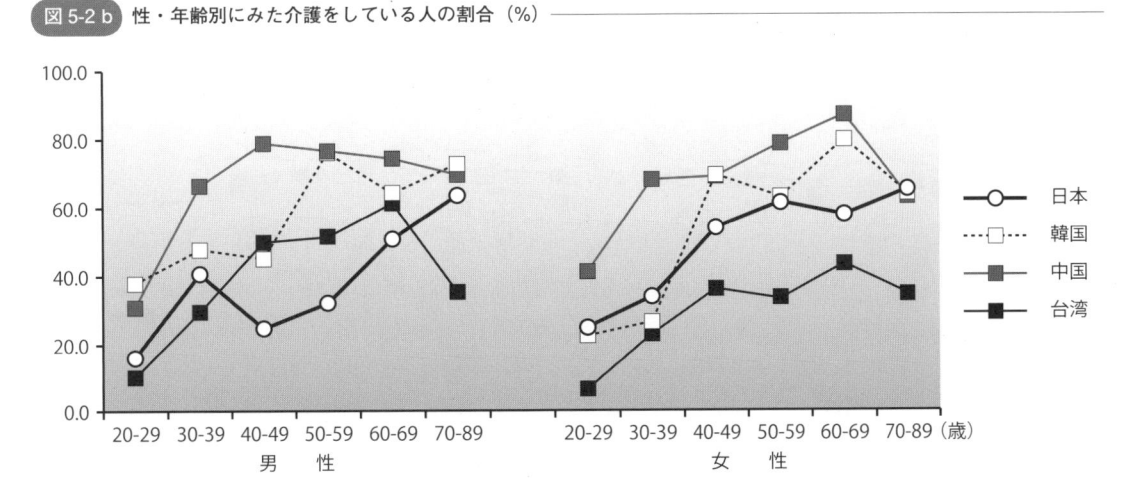

図 5-2 a　国・地域別にみた回答分布（%）

	日本	韓国	中国	台湾
はい	47.2	52.5	69.5	33.1
いいえ	52.8	47.5	30.5	66.9
n =	606	324	1,003	659

図 5-2 b　性・年齢別にみた介護をしている人の割合（%）

5.3　加齢に伴う不安 ①自分のことができなくなる

　介護の問題に代表されるように，高齢化の進展は家族や社会に対してさまざまな影響を与える。他方で個々人のレベルでは，加齢に伴い，健康問題をはじめとしてさまざまな困難を抱える機会も増える。人々は，加齢についてどのような不安を感じているのだろうか。

■ 加齢に伴い「自分のことができなくなる」不安が強い日本

　EASSでは，加齢に伴う不安があるかどうかを，三つの項目について尋ねている。図5-3aに示したのは，「年をとるにつれて，自分で自分のことができなくなるのが心配だ」という意見に対する賛否を尋ねた結果である。いずれの国・地域においても，「強く賛成」は2割以上，「賛成」を合わせると過半数に達しており，自分のことができなくなるという不安は強くみられる。とくに日本では，「反対」「強く反対」という回答がごくわずか（合わせて3.7%）であり，不安を感じていない人がほとんどいないことを表している。また，日本の不安感の高さは性・年齢による違いがほとんどみられない（図5-3b）。逆に韓国では，高齢者ほど不安を感じやすい傾向があり，それはとくに女性において顕著である。

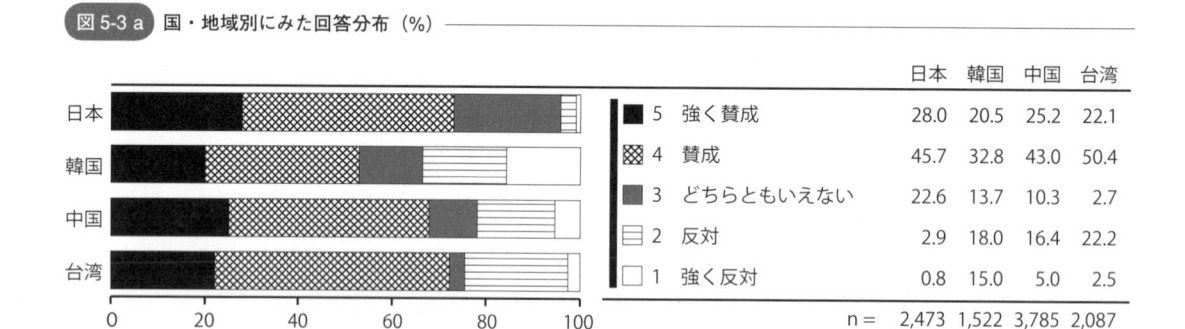

図5-3a　国・地域別にみた回答分布（%）

	日本	韓国	中国	台湾
5 強く賛成	28.0	20.5	25.2	22.1
4 賛成	45.7	32.8	43.0	50.4
3 どちらともいえない	22.6	13.7	10.3	2.7
2 反対	2.9	18.0	16.4	22.2
1 強く反対	0.8	15.0	5.0	2.5
n =	2,473	1,522	3,785	2,087

図5-3b　性・年齢別にみた「自分のことができなくなる」不安についての平均値

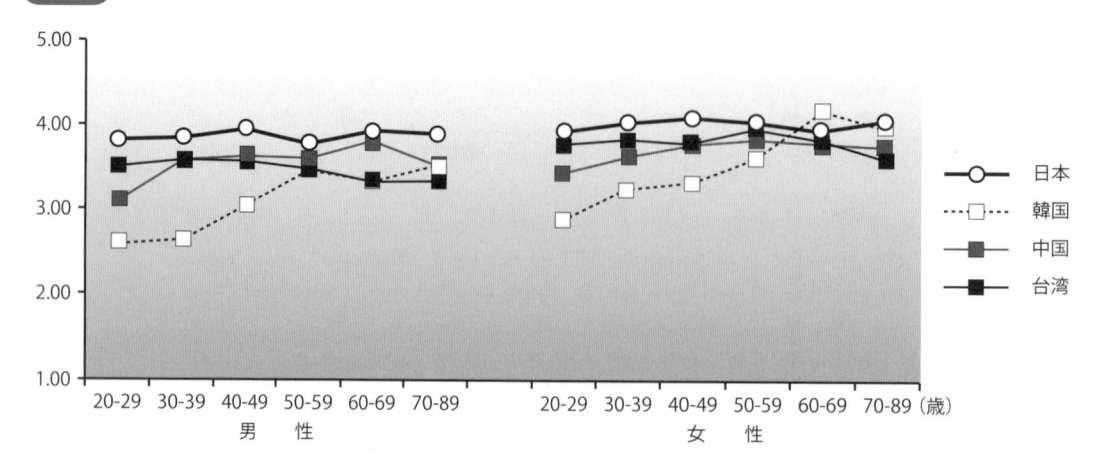

5.4 　加齢に伴う不安 ②他人に決めてもらわなくてはならない

　加齢に伴う不安の二つ目は，「年をとるにつれて，自分のことを他の人に決めてもらわなくてはならなくなるのが心配」かどうかに関するものである。

■ 加齢に伴い「他人に決めてもらわなくてはならない」不安が強い日本

　図 5-4a は，国・地域別に回答分布をグラフ化したものであり，全体として前頁 (5.3) の結果とよく似た分布を示している。つまり，どの国・地域でも不安を強くもつ人は一定数いるものの，韓国では相対的にみて不安感をもつ人が少なく，日本では不安を感じない人が非常に少ないという特徴をもつ。性・年齢別の違いははっきりとは示されないものの (図 5-4b)，韓国の女性において年齢による違いがやや大きく，高齢女性の不安感が強い傾向も先にみた結果 (5.3) と共通する点である。

図 5-4 a 国・地域別にみた回答分布 (%)

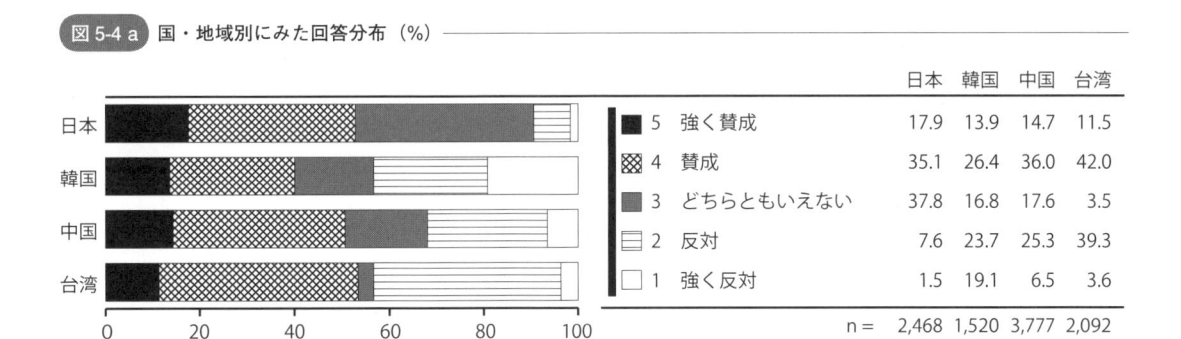

	日本	韓国	中国	台湾
5 強く賛成	17.9	13.9	14.7	11.5
4 賛成	35.1	26.4	36.0	42.0
3 どちらともいえない	37.8	16.8	17.6	3.5
2 反対	7.6	23.7	25.3	39.3
1 強く反対	1.5	19.1	6.5	3.6
n =	2,468	1,520	3,777	2,092

図 5-4 b 性・年齢別にみた「他人に決めてもらわなければならない」不安についての平均値

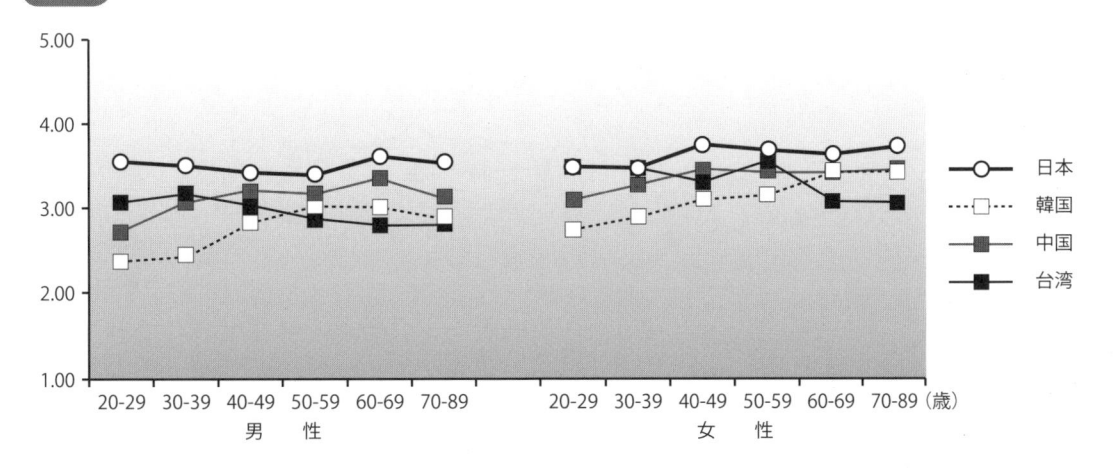

5.5 加齢に伴う不安 ③他人に経済的に依存しなくてはならない

　加齢に伴う不安についての最後の項目は，経済的な側面に関するものである。設問では，「年をとるにつれて，他の人に経済的に依存しなくてはならなくなることは，大きな不安だ」という意見に対する賛否を尋ねている。

■ 加齢に伴う経済的な依存に不安を抱く日本の若年層

　図 5-5a は，国・地域別の回答分布を，そして図 5-5b には性・年齢別に平均値をとった場合のグラフを示した。ここでも，各国・地域ともにある程度の割合で不安を感じる人がいること，相対的にみると日本で不安が強く韓国でやや弱い傾向があることは先の二つの設問の場合と同様であった。ただし，性・年齢別にみたグラフはやや異なり，韓国で高齢者ほど不安を感じる人が増える点は概ね似ているものの，日本および台湾では逆に，若年層のほうが不安をより感じていることが示されている。日本の場合には，年金受給に対する不安感・不公平感が若年層で強いことも一因になっているのかもしれない。

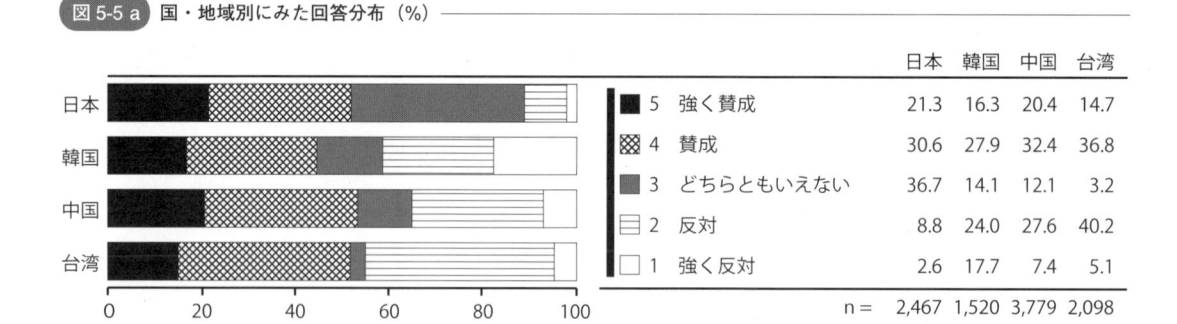

図 5-5 a　国・地域別にみた回答分布（%）

	日本	韓国	中国	台湾
5　強く賛成	21.3	16.3	20.4	14.7
4　賛成	30.6	27.9	32.4	36.8
3　どちらともいえない	36.7	14.1	12.1	3.2
2　反対	8.8	24.0	27.6	40.2
1　強く反対	2.6	17.7	7.4	5.1
n =	2,467	1,520	3,779	2,098

図 5-5 b　性・年齢別にみた「他人に経済的に依存しなくてはならない」不安についての平均値

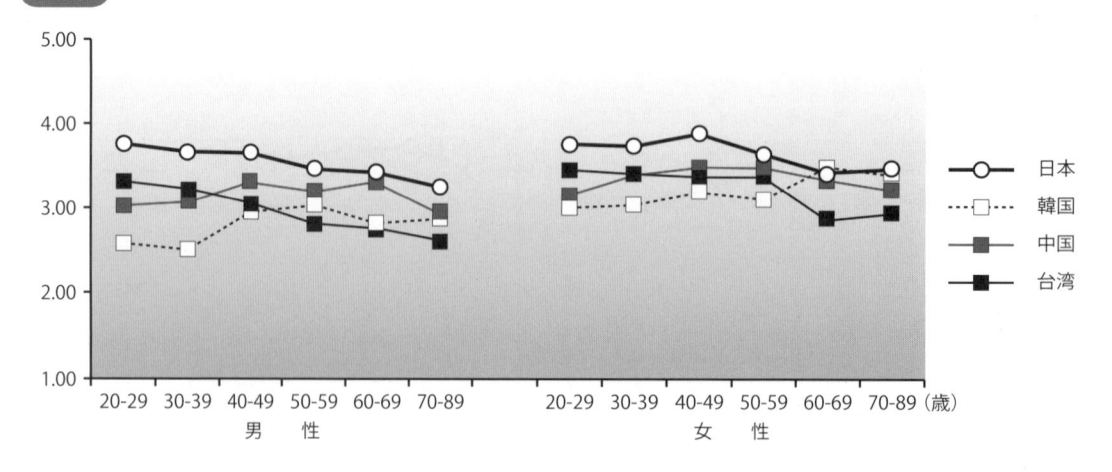

第6章

社会的サポート・信頼・希望

6.1 家族・親族は悩みや心配事を聞いてくれますか

第6章では，健康を取り巻く社会的な環境や，信頼・希望といった心理的側面を取り上げる。病気やケガをしたときでも，支えてくれる人がいれば生活の質を維持しやすく，それが心身の健康を回復することにもつながるだろうし，そもそも社会的なつながりをもつことで，健康を維持しやすくなるという研究も数多くある。

まず，さまざまな状況において他人からの支援が得られるかどうか，つまり社会的サポートがどの程度機能しているのかについてみていこう。EASSでは，社会的サポートについて，3つのサポート源（家族・親族，友人・同僚・近隣住民，専門家）と3つの種類（情緒的サポート，経済的サポート，手段的サポート）のそれぞれについて，どのくらいの頻度で援助を受けたかを尋ねている。したがって，ここでは3×3で9つの項目について順番にみていくことになる。

ただし，日本の調査票はやや設問が異なり，3種類のサポートそれぞれについて，まず，援助を受けたことがあるかどうかを尋ね，それがある場合には誰から受けたのかを選択してもらう形式をとっている。頻度については尋ねられていないため，他の国・地域との直接の比較はできない。そこで，性・年齢別の集計に際してのみ，サポートを受けたことがあるかないかの2値に区分して集計することで，日本も比較できるようにした。

■ 中国と台湾で多い親族による情緒的サポート

図6-1aは，家族・親族が悩みや心配事を聞いてくれる頻度を，国・地域別に表したグラフである。親族による情緒的サポートを受けている人の割合はいずれの国・地域においても高い。ただし，韓国に比べると，中国と台湾のほうが高い頻度でサポートを受けており，サポートを受けていない人の割合も小さいことが分かる。図6-1bは，日本も含めて，サポートを受けている人の割合を性・年齢別に集計したものである。これによると，日本の回答者，とくに男性においては，親族による情緒的サポートを受ける割合がかなり低い。また，いずれの国・地域においても，女性より男性，若年層より高齢層のほうがサポートを受けている人が少ない傾向がみられる。

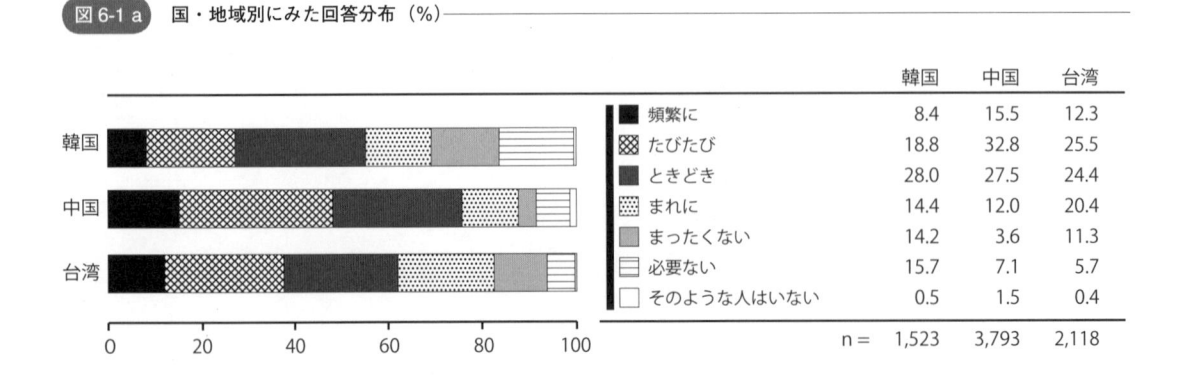

図6-1a　国・地域別にみた回答分布（%）

	韓国	中国	台湾
頻繁に	8.4	15.5	12.3
たびたび	18.8	32.8	25.5
ときどき	28.0	27.5	24.4
まれに	14.4	12.0	20.4
まったくない	14.2	3.6	11.3
必要ない	15.7	7.1	5.7
そのような人はいない	0.5	1.5	0.4
n =	1,523	3,793	2,118

第 6 章　社会的サポート・信頼・希望　75

図 6-1 b　性・年齢別にみた家族・親族による情緒的サポートを受けている人の割合（％）

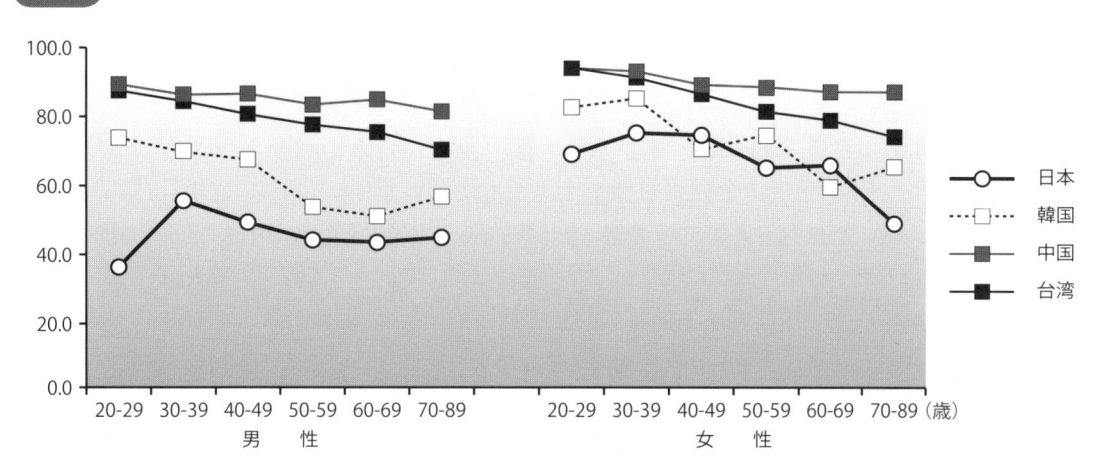

凡例：日本／韓国／中国／台湾

6.2　家族・親族は経済的に支援してくれますか

社会的サポートの2つ目は，家族・親族による経済的な支援に関するものである。

■ 家族・親族による経済的サポートが多い中国，少ない日本の高齢者

図6-2aは，サポートの受領頻度を国・地域別に集計した結果である。家族・親族から経済的な支援を受ける頻度が高いのは中国であり，「頻繁に」が18.4%，「たびたび」が28.9%と高い割合を示している。これに対して，韓国と台湾では「まったくない」「必要ない」「そのような人はいない」という支援を受けていないとする回答が半数近くに達する。図6-2bは，日本も含めてサポートの受領割合を性・年齢別に示したグラフである。性別による差は大きくないものの，年齢層による違いは非常に大きい。サポートを受ける割合がもっとも高い中国では年齢を問わず親族・家族からの支援を得ているのに対して，韓国と台湾では若年層と高齢層のみで割合がやや高いU字型の分布を示している。そして日本は，性・年齢に関わらず経済的な支援を親族から受ける割合がもっとも低く，しかも高齢者ほど支援を受けていないという特徴的な傾向がみられる。この点は，前章でみた加齢に伴う経済的不安に関する傾向とも一致する，日本の特徴といえるだろう。

図6-2 a　国・地域別にみた回答分布（%）

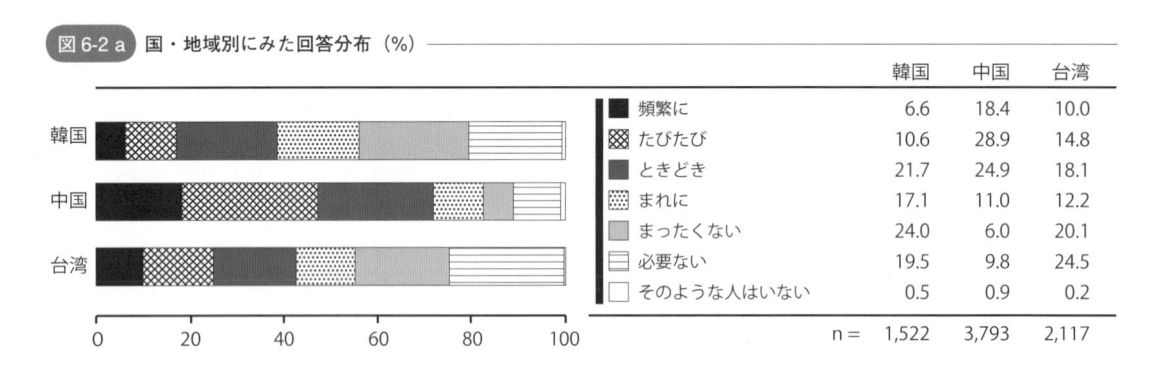

	韓国	中国	台湾
頻繁に	6.6	18.4	10.0
たびたび	10.6	28.9	14.8
ときどき	21.7	24.9	18.1
まれに	17.1	11.0	12.2
まったくない	24.0	6.0	20.1
必要ない	19.5	9.8	24.5
そのような人はいない	0.5	0.9	0.2
n =	1,522	3,793	2,117

図6-2 b　性・年齢別にみた家族・親族による経済的サポートを受けている人の割合（%）

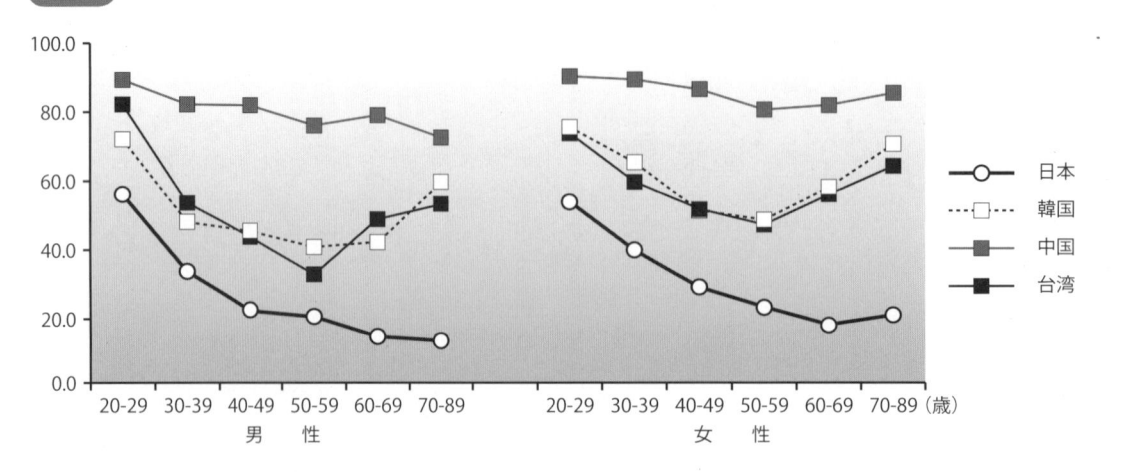

6.3　家族・親族は家事を手助けしてくれますか

社会的サポートの3つ目は，家族・親族による手段的な支援に関するものである。

■ 家族・親族による手段的サポートが少ない日本の男性

図6-3aは，サポートの受領頻度を国・地域別に集計した結果である。家族・親族による手段的な支援を受ける頻度が高いのは中国と台湾であり，相対的に低いのは韓国であった。韓国では支援を受けていない人の割合が4割を超えている。しかし，情緒的・経済的サポートの場合と同じく，日本はそれ以上に支援を受ける割合が低い（図6-3b）。若年層よりも高齢層の方が支援を受けていない日本の特徴はここでもみられる。さらに，韓国女性と日本女性の差はそれほど大きくないものの，日本の男性は明らかに他の国・地域よりも値が低く，この点でも情緒的サポートの場合と似た傾向を示す。つまり，情緒的・手段的支援を受けていない日本男性，という状況がデータから読みとれる。もっとも，このデータからは，そのような支援を必要としていないのか，必要であるにも関わらず支援を得られない状況にあるのかは分からない。したがってサポート受領の少なさを肯定的に捉えるのか否定的にみるのかは，さらなる調査・分析を待つ必要がある。

図6-3a　国・地域別にみた回答分布（％）

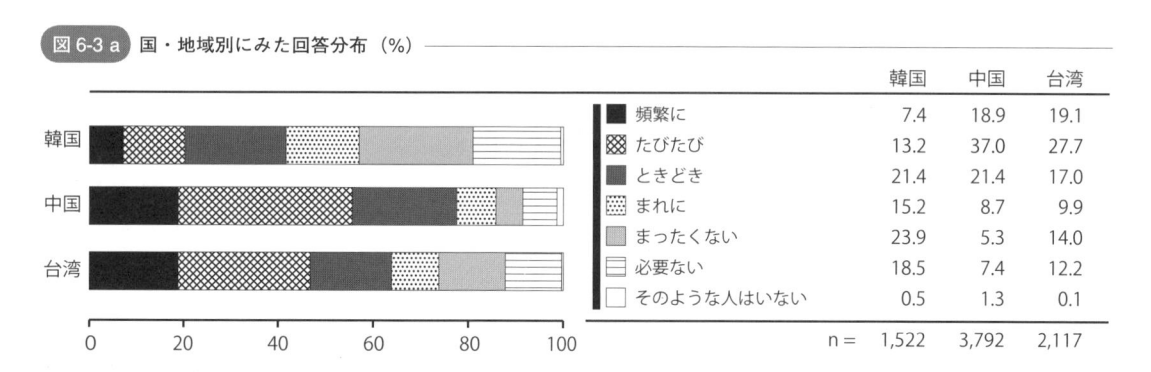

	韓国	中国	台湾
頻繁に	7.4	18.9	19.1
たびたび	13.2	37.0	27.7
ときどき	21.4	21.4	17.0
まれに	15.2	8.7	9.9
まったくない	23.9	5.3	14.0
必要ない	18.5	7.4	12.2
そのような人はいない	0.5	1.3	0.1
n =	1,522	3,792	2,117

図6-3b　性・年齢別にみた家族・親族による手段的サポートを受けている人の割合（％）

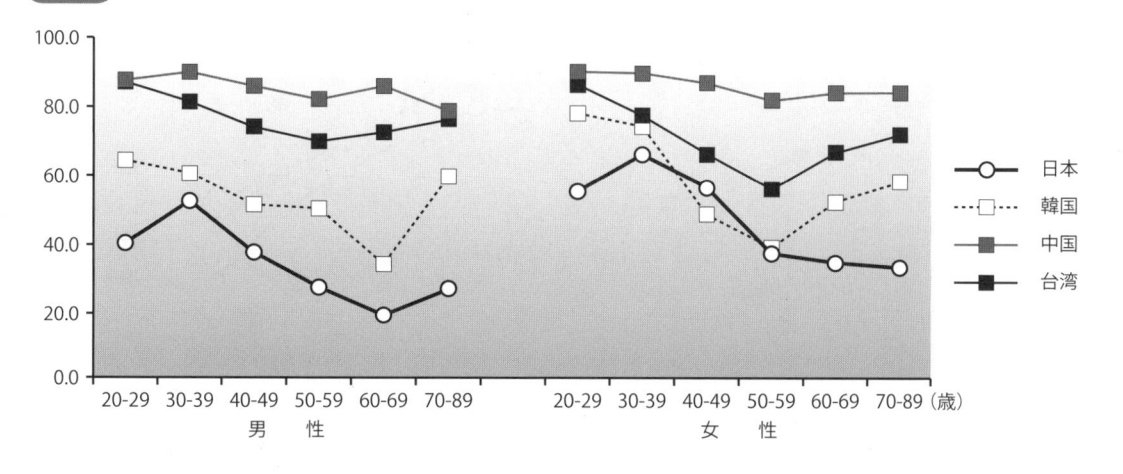

6.4　友人や同僚，近所の人は悩みや心配事を聞いてくれますか

　社会的サポートの4つ目は，友人や同僚，近所の人による情緒的な支援に関するものである。先にみた3つの項目とは異なり，ここからは非親族による支援の実態をみていこう。

■　友人・同僚・近所の人による情緒的サポートが少ない日本の高齢者

　図6-4aは，サポートの受領頻度を国・地域別に集計した結果である。親族によるサポートに比べると，友人・同僚・近所の人からの支援の受領頻度には，国・地域による差があまり強くみられない。いずれの国・地域も，「たびたび」「ときどき」「まれに」といった中間的な選択肢に回答が多く集まっている。性・年齢別にみた場合（図6-4b），特徴的なのは日本の男性であり，サポートの受領割合はどの年齢層においてももっとも低い値を示す。加齢に伴って受領割合が低下する傾向は国・地域および性別を問わずみられるが，とくに日本と韓国ではその傾きが大きく，高齢者においてサポートの受領が大幅に少なくなることも読み取れる。

図6-4 a　国・地域別にみた回答分布（％）

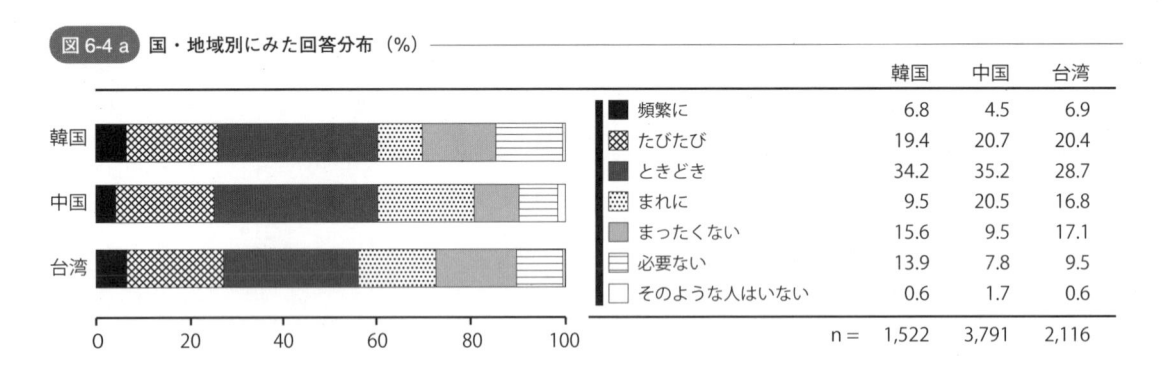

	韓国	中国	台湾
頻繁に	6.8	4.5	6.9
たびたび	19.4	20.7	20.4
ときどき	34.2	35.2	28.7
まれに	9.5	20.5	16.8
まったくない	15.6	9.5	17.1
必要ない	13.9	7.8	9.5
そのような人はいない	0.6	1.7	0.6
n =	1,522	3,791	2,116

図6-4 b　性・年齢別にみた友人・同僚・近所の人による情緒的サポートを受けている人の割合（％）

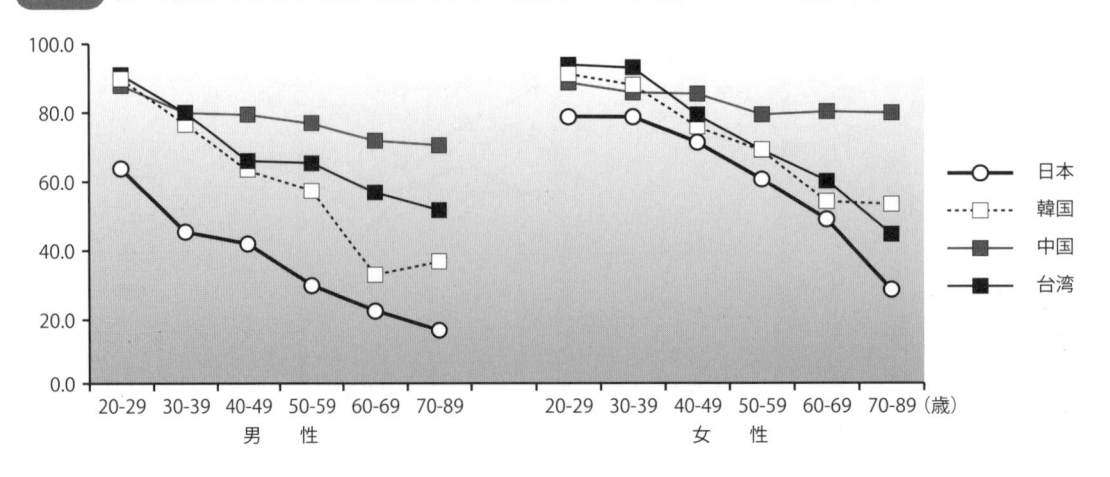

6.5　友人や同僚，近所の人は経済的に支援してくれますか

社会的サポートの5つ目は，友人や同僚，近所の人による経済的な支援に関するものである。

■ 国・地域による差が大きい友人・同僚・近所の人による経済的サポートの状況

図 6-5a は，サポートの受領頻度を国・地域別に集計した結果である。これまでにみてきた種類のサポートとは異なり，友人・同僚・近所の人による経済的支援の受領頻度はきわめて低いことが明らかである。とはいえ，国・地域ごとに大きな違いもみられ，台湾では8割以上の人が経済的支援を受けていないのに対して，中国では逆に6割程度が支援を得ている。日本も含めてサポートの受領割合を示した図 6-5b には，このような大きな国・地域ごとの差がはっきりと表れている。ここでももっとも低いのは日本であり，性・年齢に関わらず，友人・同僚・近所の人からの経済的支援を得ている人はほとんどいない。年齢層についてみると，若年層において高い割合を示す国・地域が多く，全体として右下がりのグラフとなっている。情緒的サポートに比べると，経済的な支援には国・地域による差が大きく，東アジア地域内における社会文化的な背景の違いがより強く反映されていると考えられる。

図 6-5 a　国・地域別にみた回答分布（%）

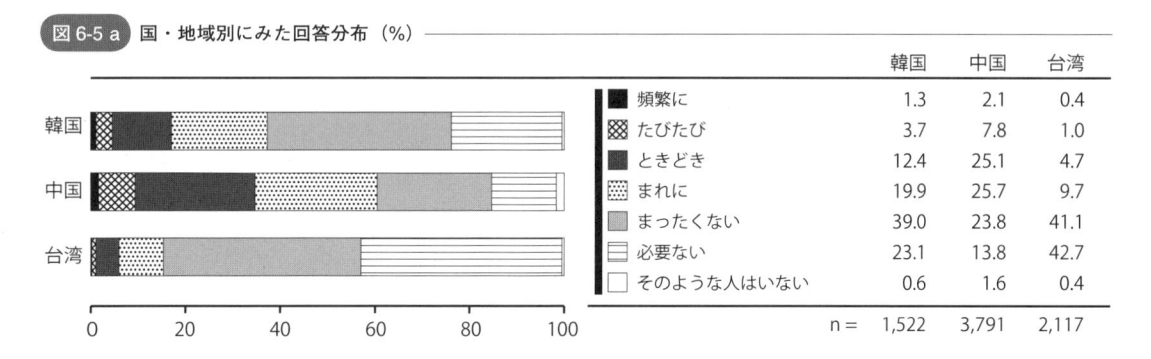

	韓国	中国	台湾
頻繁に	1.3	2.1	0.4
たびたび	3.7	7.8	1.0
ときどき	12.4	25.1	4.7
まれに	19.9	25.7	9.7
まったくない	39.0	23.8	41.1
必要ない	23.1	13.8	42.7
そのような人はいない	0.6	1.6	0.4
n =	1,522	3,791	2,117

図 6-5 b　性・年齢別にみた友人・同僚・近所の人による経済的サポートを受けている人の割合（%）

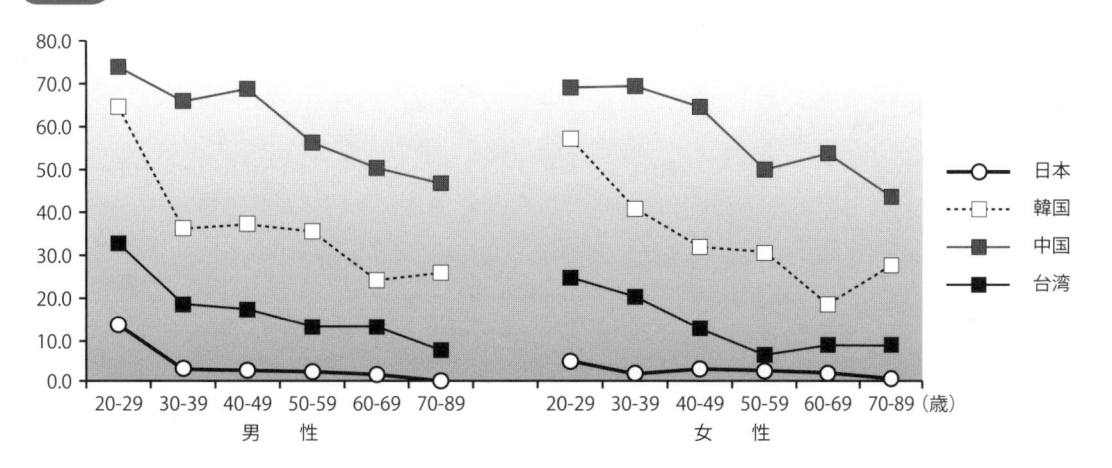

6.6　友人や同僚，近所の人は家事を手助けしてくれますか

社会的サポートの6つ目は，友人や同僚，近所の人による手段的な支援に関するものである。

■ 中国で多く日本で少ない，友人・同僚・近所の人による手段的サポート

図6-6aは，サポートの受領頻度を国・地域別に集計した結果である。全体として，示された回答分布は経済的支援の場合とよく似ている。中国では「頻繁に」～「まれに」まで含めると，6割を超える人が友人・同僚・近所の人からの手段的サポートを受けているのに対して，台湾ではその逆にサポートを受けていない人が8割を超える。また図6-6bは，日本も含めてサポートの受領割合を性・年齢別に示したグラフである。これについても概ね経済的支援の場合と近い傾向がみられる。性差は小さく，高齢者ほどサポートの受領が少ない傾向はある程度みられるものの，際立つのは国・地域による差であり，とくに日本におけるサポート受領割合の小ささであろう。男性・女性ともに，日本の高齢者の大半は友人・同僚・近所の人からの手段的な援助を得ていないことが示されている。

図6-6a　国・地域別にみた回答分布（%）

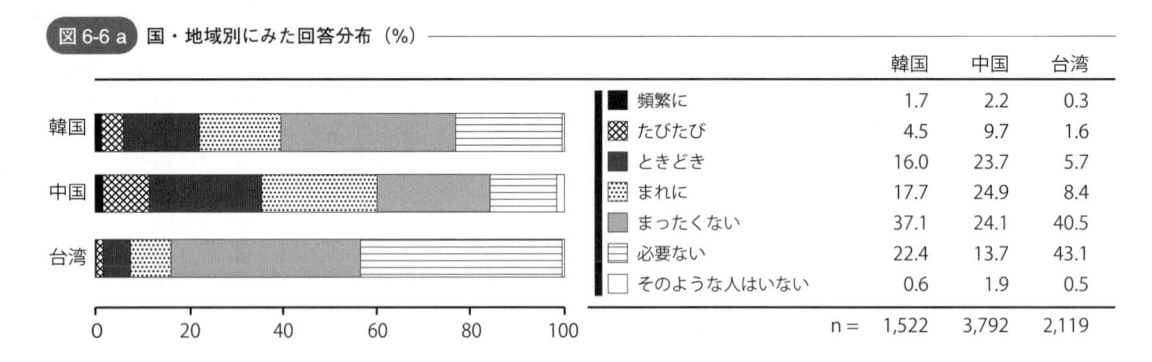

	韓国	中国	台湾
頻繁に	1.7	2.2	0.3
たびたび	4.5	9.7	1.6
ときどき	16.0	23.7	5.7
まれに	17.7	24.9	8.4
まったくない	37.1	24.1	40.5
必要ない	22.4	13.7	43.1
そのような人はいない	0.6	1.9	0.5
n =	1,522	3,792	2,119

図6-6b　性・年齢別にみた友人・同僚・近所の人による手段的サポートを受けている人の割合（%）

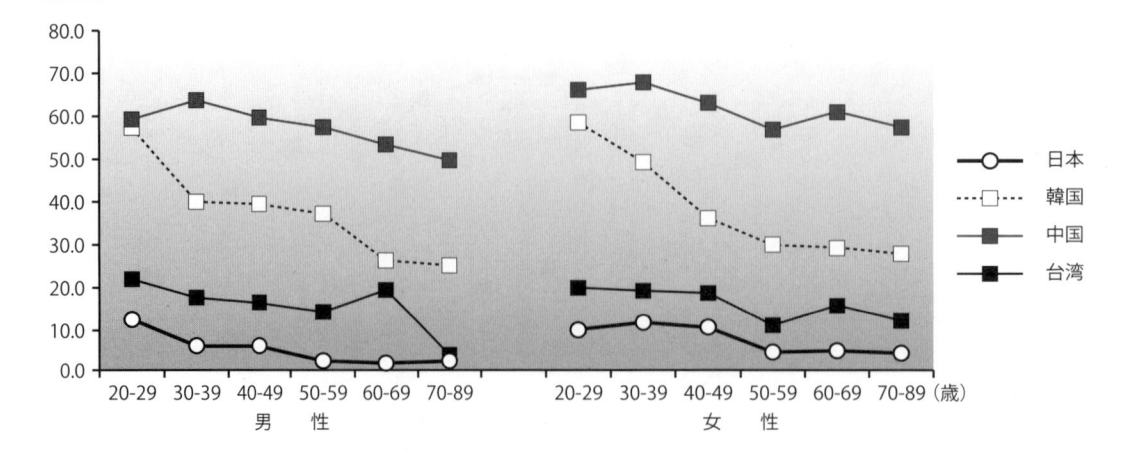

6.7　専門家は悩みや心配事を聞いてくれますか

社会的サポートの7つ目は，専門家による情緒的な支援に関するものである。悩みや心配事を聞いてくれる専門家としては，カウンセラーなどの専門職が想定されている。

■ 中国で多く，日本と台湾で少ない，専門家による情緒的サポート

図6-7aは，サポートの受領頻度を国・地域別に集計した結果である。家族・親族，あるいは友人・同僚・近所の人と比べて，専門家から情緒的なサポートを得ている人の割合はきわめて小さい。もっとも多い中国でも「頻繁に」～「まれに」を合わせて20%に満たず，もっとも少ない台湾では3%程度に過ぎない。ただし，サポートを受けてない理由については，中国では「そのような人はいない」，韓国は「まったくない」，台湾は「必要ない」がそれぞれ多くを占め，国・地域ごとにやや様子が異なる。そして，図6-7bは，日本も含めてサポートの受領割合を性・年齢別に示したグラフである。ここでも日本は男性・女性ともにもっともサポートの受領割合が低いことが示されている。全体として性別や年齢層による違いは小さいものの，日本では男性よりも女性のほうが若干，サポートを受ける割合が高いようである。

図6-7a　国・地域別にみた回答分布（%）

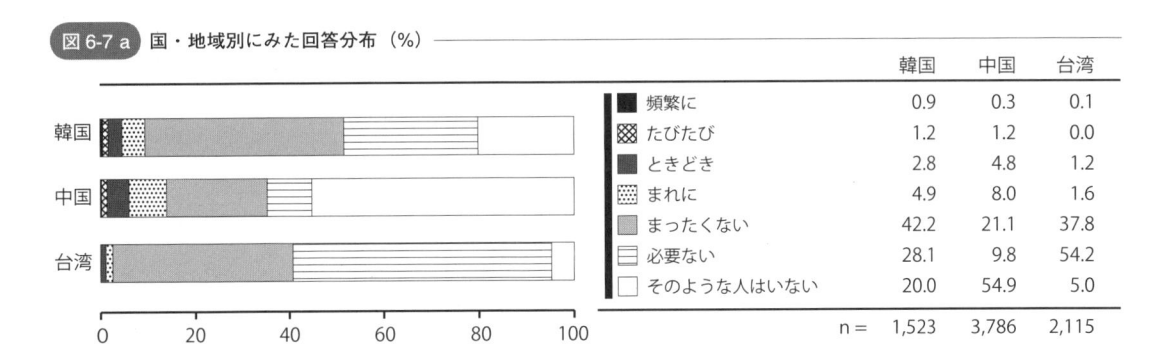

	韓国	中国	台湾
頻繁に	0.9	0.3	0.1
たびたび	1.2	1.2	0.0
ときどき	2.8	4.8	1.2
まれに	4.9	8.0	1.6
まったくない	42.2	21.1	37.8
必要ない	28.1	9.8	54.2
そのような人はいない	20.0	54.9	5.0
n =	1,523	3,786	2,115

図6-7b　性・年齢別にみた専門家による情緒的サポートを受けている人の割合（%）

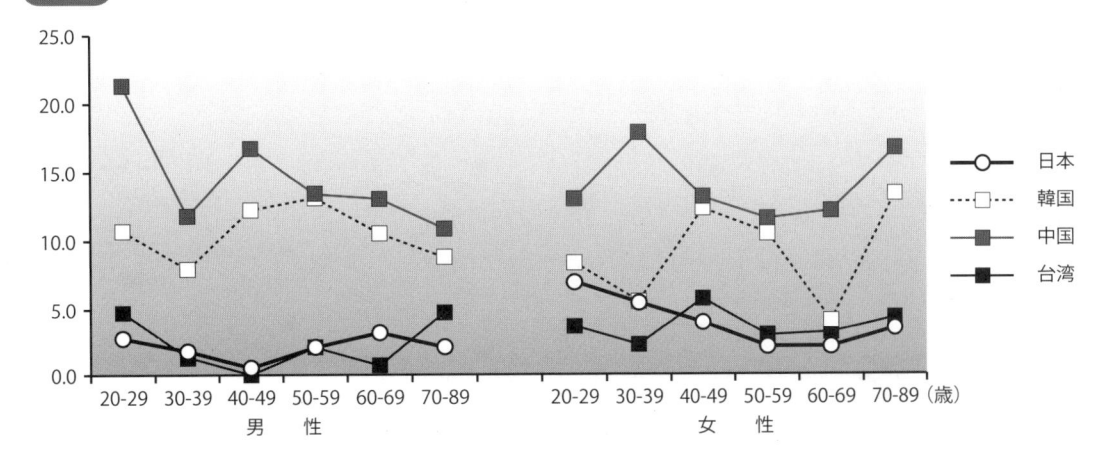

6.8　専門家は経済的に支援してくれますか

社会的サポートの8つ目は，専門家による経済的な支援に関するものである。ここでの専門家としては，金融機関や公的機関の人が想定されている。

■ **日本と台湾で非常に少ない，専門家による経済的サポート**

図6-8aは，サポートの受領頻度を国・地域別に集計した結果である。専門家による経済的な支援を受けた人は，各国・地域ともに非常に少なく10%に満たない。またその頻度をみても「まれに」が多く，高い頻度でサポートを受けている人はほとんどいない。図6-8bには，日本も含めてサポートの受領割合を性・年齢別に示した。日本は台湾と同様に，性別や年齢に関わりなくサポートの受領者がほとんどいない。中国の男性においては，加齢に伴い経済的な支援を受ける割合が小さくなる傾向がみられるものの，それ以外には，性別や年齢層による大きな違いはみられなかった。

図6-8a　国・地域別にみた回答分布（%）

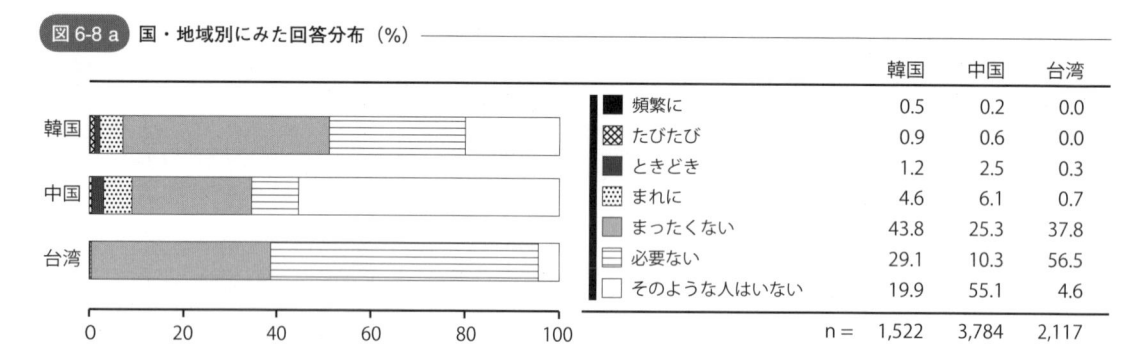

	韓国	中国	台湾
頻繁に	0.5	0.2	0.0
たびたび	0.9	0.6	0.0
ときどき	1.2	2.5	0.3
まれに	4.6	6.1	0.7
まったくない	43.8	25.3	37.8
必要ない	29.1	10.3	56.5
そのような人はいない	19.9	55.1	4.6
n =	1,522	3,784	2,117

図6-8b　性・年齢別にみた専門家による経済的サポートを受けている人の割合（%）

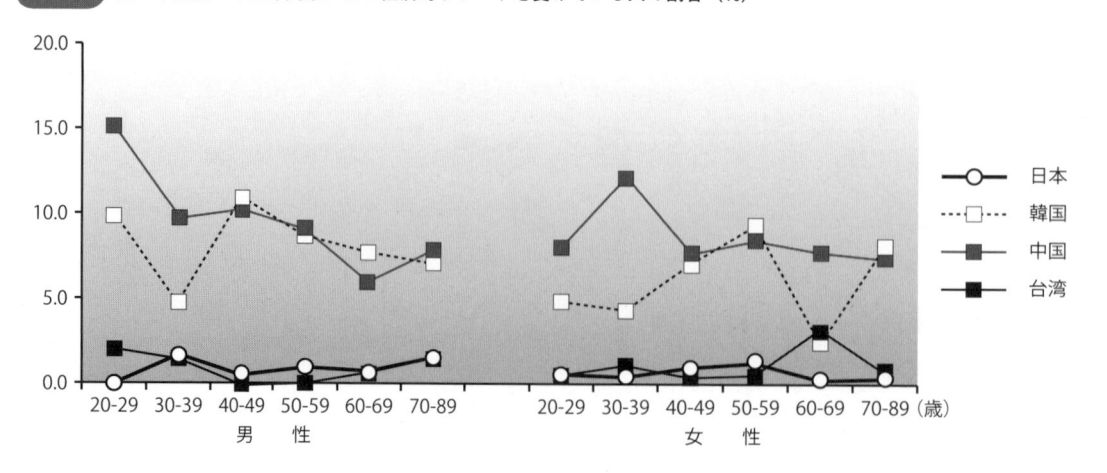

6.9　専門家は家事を手助けしてくれますか

社会的サポートの最後は，専門家による手段的な支援に関するものである。ここでの専門家には，ヘルパーや家事サービスが想定されている。

■ 専門家による手段的サポートがほとんどない台湾

図6-9aは，サポートの受領頻度を国・地域別に集計した結果である。先にみた情緒的，経済的な支援の場合と同じく，手段的なサポートについても受領割合は小さく，またその頻度も低い。なかでも台湾は，家事等の手助けを専門家に頼っているケースがほとんどみられない。図6-9bは，日本も含めてサポートの受領割合を性・年齢別に示したグラフである。日本のサポート受領割合が非常に小さい点はこれまでにみた他のサポート源・種類と同じである。しかし，高齢者層で若干，支援を受ける人の割合が高くなっている。日本では介護保険制度の成立が早く，ヘルパー等による家事支援が受けやすくなったことが反映されているのかもしれない。

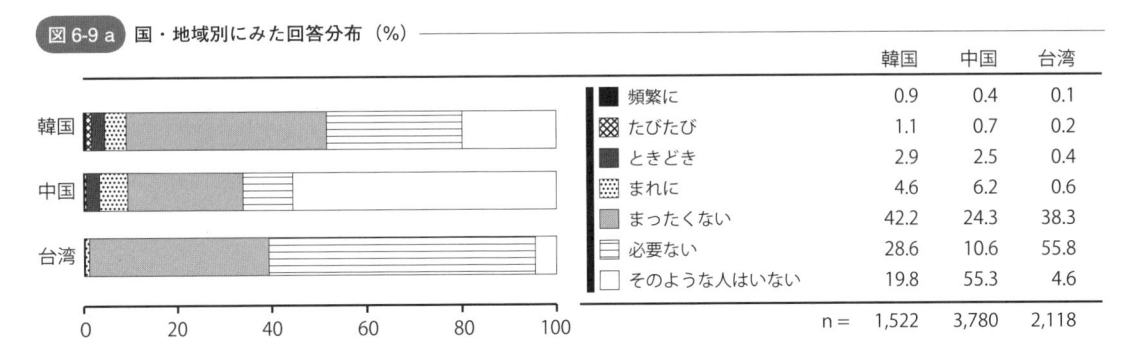

図6-9a　国・地域別にみた回答分布（％）

	韓国	中国	台湾
頻繁に	0.9	0.4	0.1
たびたび	1.1	0.7	0.2
ときどき	2.9	2.5	0.4
まれに	4.6	6.2	0.6
まったくない	42.2	24.3	38.3
必要ない	28.6	10.6	55.8
そのような人はいない	19.8	55.3	4.6
n =	1,522	3,780	2,118

図6-9b　性・年齢別にみた専門家による手段的サポートを受けている人の割合（％）

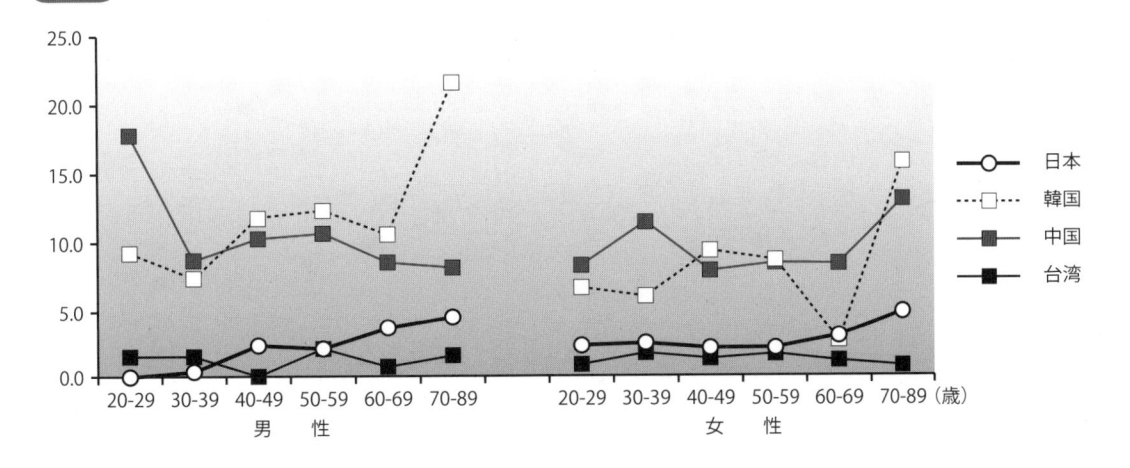

6.10　一般的に，人は信用できますか

　ここまでみてきた社会的サポートに加えて，近年ではより広い意味での社会的な関係性と健康との結び付きが注目を集めている。そのなかでも，一般的に他者を信頼できるかどうか，という質問は，社会関係資本（Social capital）の一側面を捉えるものとしてよく利用されている。

■　一般的信頼感の高い中国と日本

　図6-10aは，「一般的に，人は信用できると思いますか。それとも，人と付き合うときには，できるだけ用心したほうがよいと思いますか」という質問に対する回答の分布を，国・地域別に示したものである。日本と中国では「信用できる」という側の回答が多く，韓国と台湾では「用心したほうがよい」という側の回答の方が若干多くなっている。図6-10bには，性・年齢別に集計した平均値をグラフに示した。台湾では，70-89歳の女性を例外として，高齢者ほど「用心したほうがよい」に回答が偏る傾向がみられる。反対に中国では，高齢者ほど信頼感が高くなる緩やかな傾向がみられる。

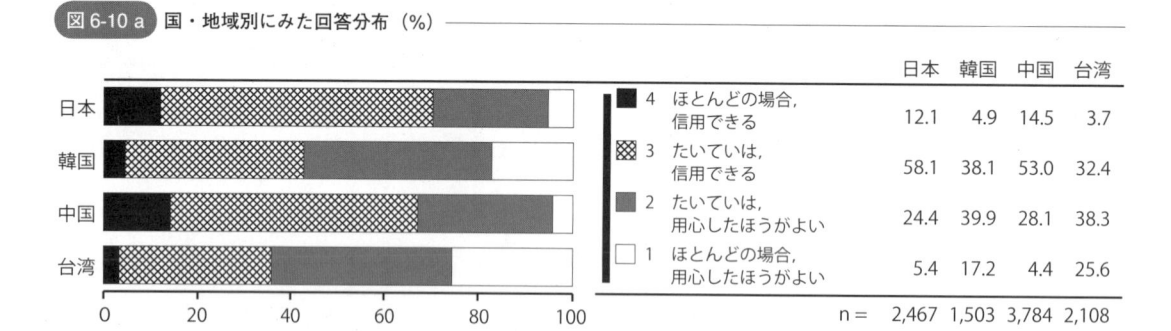

図6-10 a　国・地域別にみた回答分布（％）

	日本	韓国	中国	台湾
4　ほとんどの場合，信用できる	12.1	4.9	14.5	3.7
3　たいていは，信用できる	58.1	38.1	53.0	32.4
2　たいていは，用心したほうがよい	24.4	39.9	28.1	38.3
1　ほとんどの場合，用心したほうがよい	5.4	17.2	4.4	25.6
n =	2,467	1,503	3,784	2,108

図6-10 b　性・年齢別にみた一般的信頼感に関する平均値

6.11　希望のなさ ①物事がよい方向に行くとは考えられない

健康を規定する社会的・心理的な因子には実に多くのものがある。ここではさらに，将来に対する期待を表す「希望」に注目してみよう。希望があるということは，何らかの目標に向かうポジティブな心理状態の一つといえ，それが心理的あるいは身体的な健康にも重要な要素となることが報告されている。

■ 将来に希望をもっている韓国・中国・台湾，どちらとも言えない日本

EASSには希望の欠如（Hopelessness）についての設問が2つ含まれている。まず，図6-11aには，「私には将来の希望がもてず，物事がよい方向に行くとは考えられない」という意見に対する賛否を尋ねた結果を示した。すべての国・地域において，賛成よりも反対の割合が多い（つまり，希望が欠如していない）。希望をもっている人は，台湾と中国では7割を超え，韓国でも6割を超えているが，日本は4割弱であり，日本では「どちらともいえない」が半数近い。とりわけ中国では，希望の欠如を強く否定する人が4割を超えている。性・年齢別にみると（図6-11b），どの国・地域においても高齢者ほど賛成の割合が高い（つまり，希望の欠如が多い）傾向がみられる。

図6-11 a　国・地域別にみた回答分布（%）

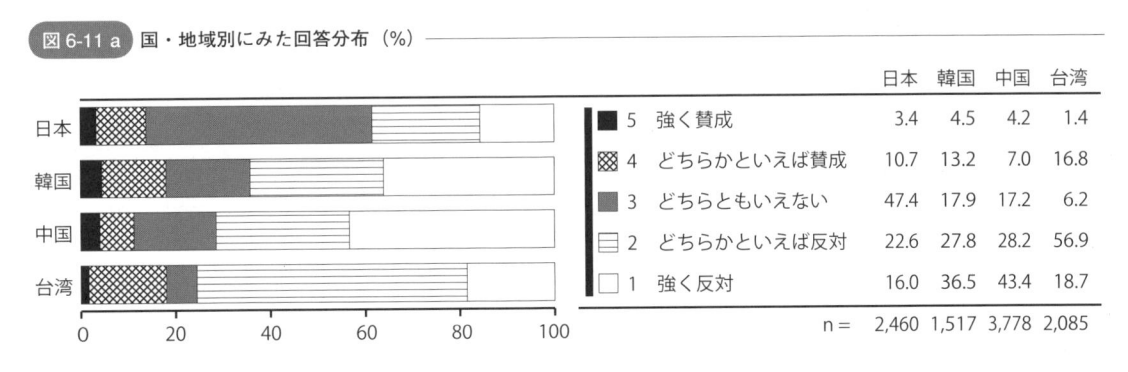

	日本	韓国	中国	台湾
5 強く賛成	3.4	4.5	4.2	1.4
4 どちらかといえば賛成	10.7	13.2	7.0	16.8
3 どちらともいえない	47.4	17.9	17.2	6.2
2 どちらかといえば反対	22.6	27.8	28.2	56.9
1 強く反対	16.0	36.5	43.4	18.7
n =	2,460	1,517	3,778	2,085

図6-11 b　性・年齢別にみた将来に希望がもてるかどうかに関する平均値

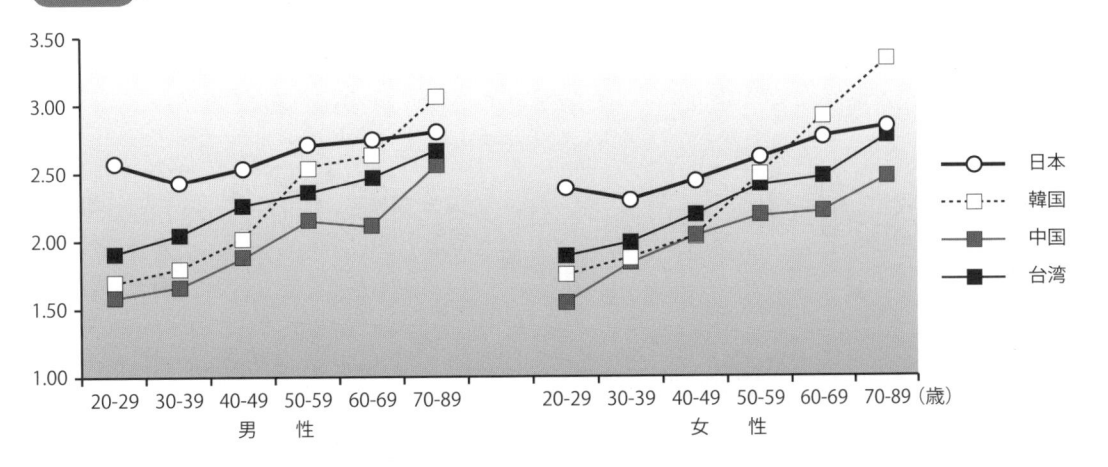

6.12　希望のなさ ②目指している目標は達成できない

希望の欠如に関するもう一つの設問は，目標を達成できるかどうかについて問うものである。

■ 目標達成に自信のない日本，高齢者

図 6-12a は，「私が目指している目標は達成できないだろう」という意見に対する賛否を尋ねた結果である。「目標が達成できない」とは思わない（つまり，希望が欠如していない）人は，台湾で 7 割を超え，韓国でも 6 割を超える。この点は，「希望の有無」への回答分布（6.11 参照）と類似しているが，中国ではその割合が 5 割台に落ちている。中国では多くの人が将来に希望はもっているが，目標を達成できるとまでは思えない人が一定数いるのかもしれない。一方，日本で目標が達成できると思っている人は 3 割台であり，4 つの社会のなかでもっとも少ない。性・年齢別にみると（図 6-12b），高齢者ほど賛成を表明しやすい（希望が欠如している）傾向が，性別および国・地域を問わずみられる。ただし，日本では若年層においても希望の欠如を表明する人が一定数おり，この点に他国・地域との違いが表れている。

図 6-12 a　国・地域別にみた回答分布（%）

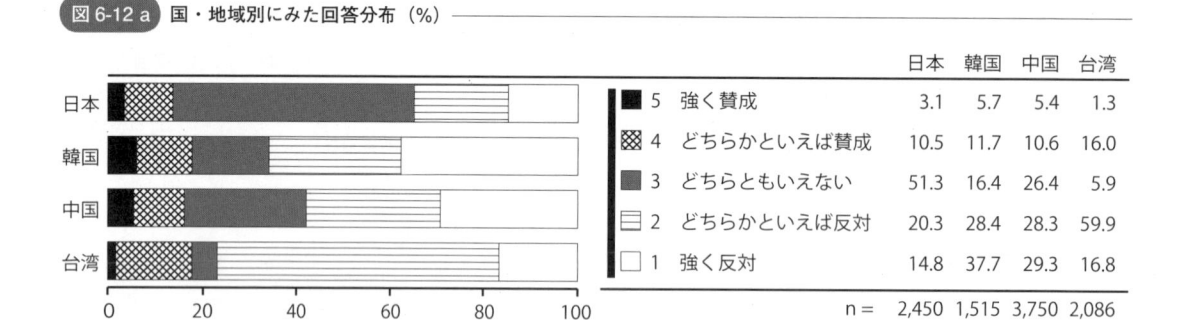

	日本	韓国	中国	台湾
5 強く賛成	3.1	5.7	5.4	1.3
4 どちらかといえば賛成	10.5	11.7	10.6	16.0
3 どちらともいえない	51.3	16.4	26.4	5.9
2 どちらかといえば反対	20.3	28.4	28.3	59.9
1 強く反対	14.8	37.7	29.3	16.8
n =	2,450	1,515	3,750	2,086

図 6-12 b　性・年齢別にみた目標達成ができるかどうかに関する平均値

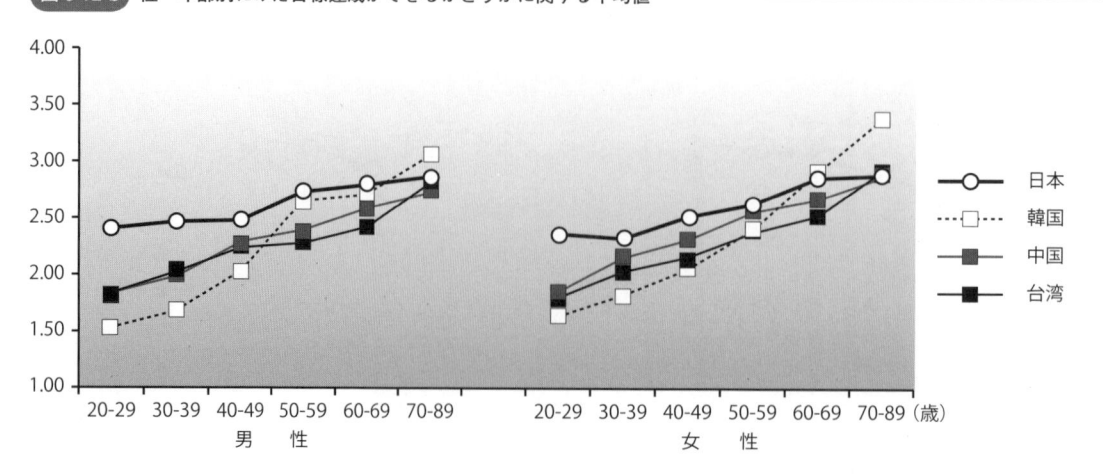

第7章
環　境

7.1　大気汚染は深刻ですか

　終章となる第7章では、住民の健康を左右すると考えられている地域の環境に着目する。生活習慣病が死因の多くを占める現代では、健康は「個人」の問題として捉えられる傾向にある。しかし、その個人が置かれている環境もまた、健康に影響している可能性がある。たとえば、汚染の深刻な大気や水質などは健康を害する直接的な要因となりうるし、公園や運動施設、食料品店の有無などは、身体活動や食生活といった健康行動に影響することで生活習慣病のリスクを変化させるかもしれない。さらに、前章では個人の社会的サポートや信頼感について確認したが、地域の社会的な環境もまた、住民のストレス軽減や各種資源へのアクセスを改善することで健康水準の向上に寄与する可能性が指摘されている。ここでは、EASSの調査項目に含まれている9つの地域環境の評価について順にみていきたい。最初は、大気汚染についての評価である。

■ 地域の大気汚染が深刻だと感じる韓国

　図7-1aは、地域の大気汚染がどの程度深刻な問題であるのかを尋ねた結果である。回答は「とても深刻」から「まったく深刻ではない」までの4段階からなる。国・地域別にみて、もっとも大気汚染が深刻であると考える人が多いのは韓国であり、「とても深刻」が8.3%、「ある程度深刻」が29.1%を占める。反対に、日本で大気汚染が深刻だと考える人は少なく、「まったく深刻ではない」(30.0%)と「あまり深刻ではない」(52.6%)という回答が8割を超えている。また、図7-1bは、回答の平均値を性・年齢別に集計した結果をグラフ化したものである。総じて、高齢層に比べると若年層のほうが大気汚染をより深刻に捉える傾向がみられる。高齢者の場合には、過去に比べて大気汚染の状況が改善しているという、相対的な評価が表れているのかもしれない。

図7-1a　国・地域別にみた回答分布（%）

	日本	韓国	中国	台湾
4 とても深刻	2.8	8.3	7.7	5.0
3 ある程度深刻	14.6	29.1	21.2	22.3
2 あまり深刻ではない	52.6	49.7	44.9	55.6
1 まったく深刻ではない	30.0	12.9	26.2	17.2
n =	2,468	1,519	3,788	2,120

図7-1b　性・年齢別にみた大気汚染の深刻さに関する平均値

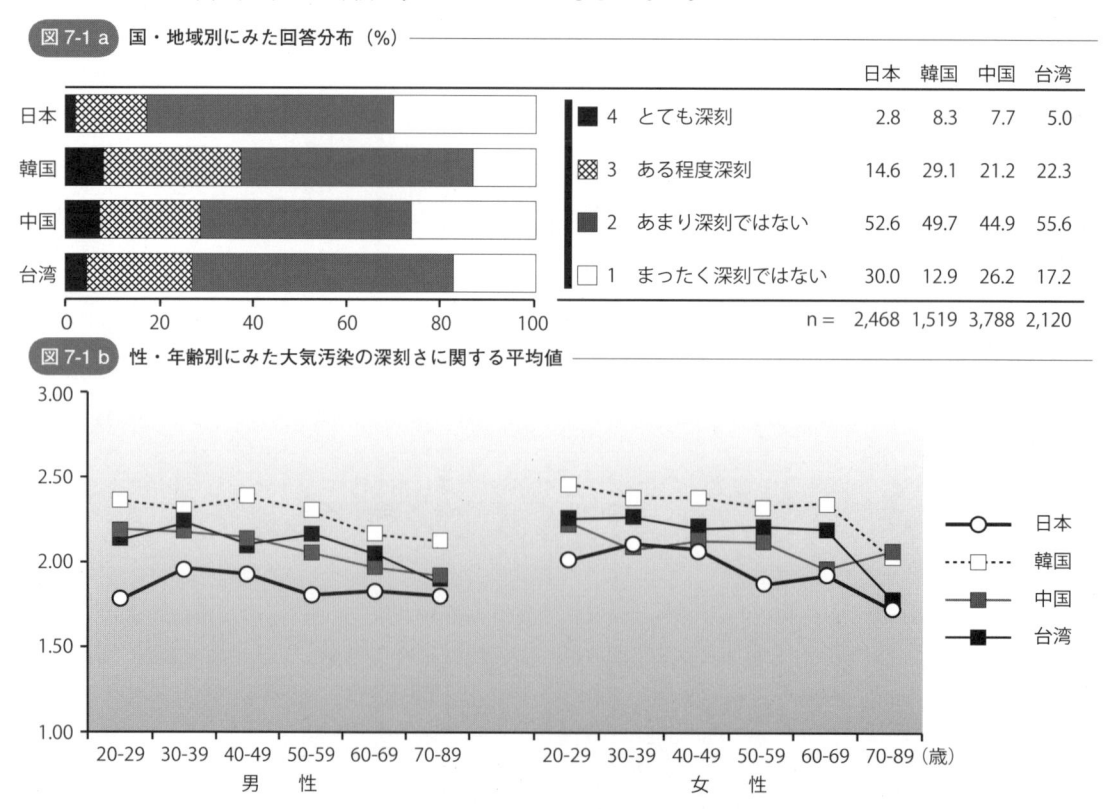

7.2　水質汚染は深刻ですか

続いて，地域の水質汚染の深刻さについてみてみよう。

■ 水質汚染の深刻さが小さい日本

図 7-2a は，水質汚染の深刻さについての回答分布を，国・地域別に示したものである。水質汚染を「とても深刻」または「ある程度深刻」と評価している人は，韓国と中国で多く，日本では少ない。ただし中国では「まったく深刻ではない」という回答も多くみられ，評価が分かれている。地域によって汚染の度合いに差があり，それが評価にも反映されているのかもしれない。図 7-2b は，水質汚染の深刻さに関する回答の平均値を，性・年齢別に集計したものである。日本と韓国では，高齢者層において水質汚染が深刻ではないとする評価が多くなる傾向がみられるが，性別による大きな違いはみられなかった。

図 7-2 a　国・地域別にみた回答分布（％）

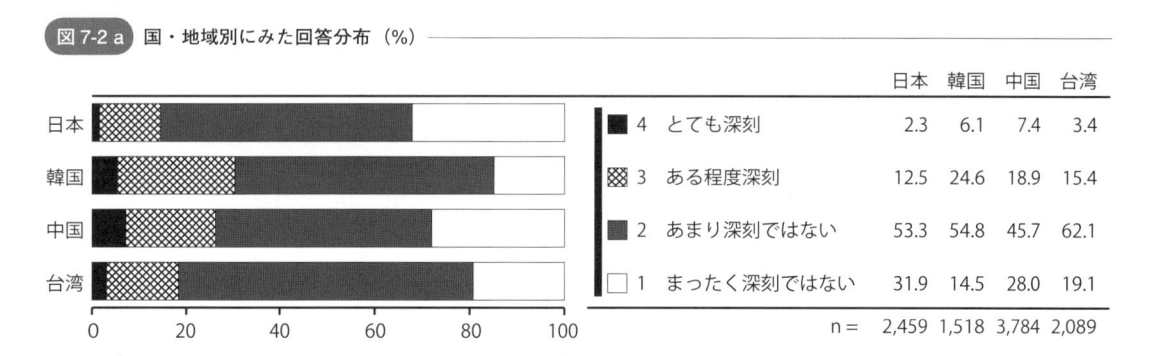

	日本	韓国	中国	台湾
4 とても深刻	2.3	6.1	7.4	3.4
3 ある程度深刻	12.5	24.6	18.9	15.4
2 あまり深刻ではない	53.3	54.8	45.7	62.1
1 まったく深刻ではない	31.9	14.5	28.0	19.1
n =	2,459	1,518	3,784	2,089

図 7-2 b　性・年齢別にみた水質汚染の深刻さに関する平均値

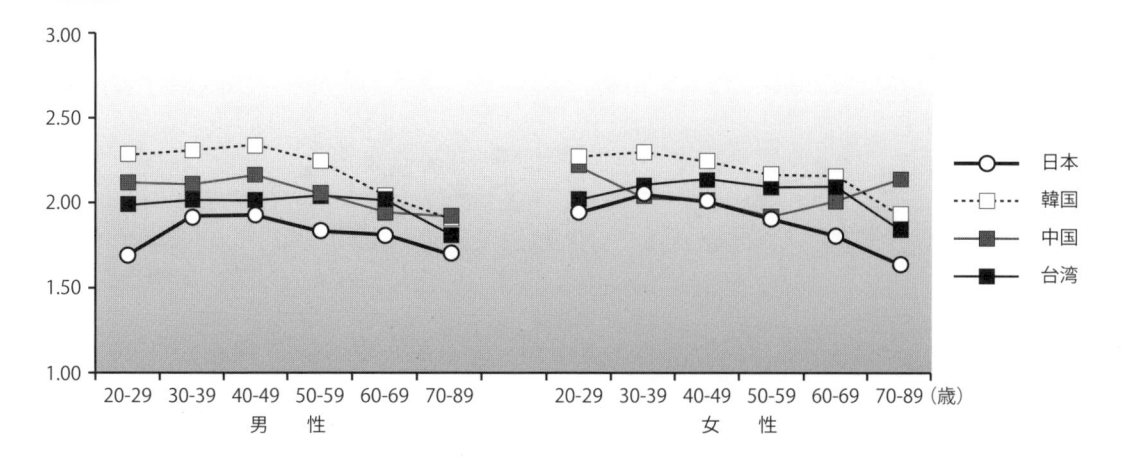

7.3　騒音被害は深刻ですか

さらにここでは，地域の騒音被害に対する評価を確認しておく。

■ 騒音被害が深刻だと感じる韓国の若年層

図7-3aは，国・地域ごとに騒音被害の深刻さに関する回答分布を示したものである。もっとも被害が深刻であるとする回答が多いのは韓国である。「とても深刻」（15.8%）と「ある程度深刻」（31.9%）を合わせると，半数に近い回答者が地域の騒音を深刻に捉えていることが分かる。韓国では，ソウル都市圏に全国民のおよそ半分が在住し，一極集中が進んでいることと関係しているのかもしれない。反対に，騒音被害の深刻さが少ないのが日本であり，「とても深刻」という回答はわずか3.0%に過ぎない。性・年齢別に集計したグラフでは，右下がりの傾向がみてとれ，概ね高齢者ほど騒音被害を深刻に感じていない実態がうかがえる（図7-3b）。とくに韓国では年齢による違いが大きく，若年層では騒音を深刻に捉えている人が多い。

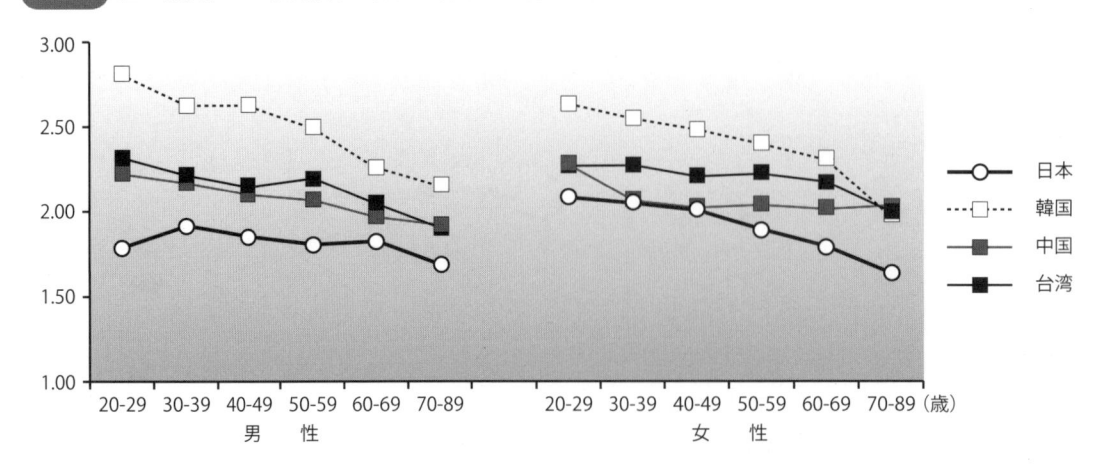

図7-3 a　国・地域別にみた回答分布（%）

	日本	韓国	中国	台湾
4 とても深刻	3.0	15.8	8.6	6.6
3 ある程度深刻	12.3	31.9	21.2	23.8
2 あまり深刻ではない	51.2	38.7	40.7	51.3
1 まったく深刻ではない	33.4	13.5	29.5	18.3
n =	2,467	1,522	3,789	2,121

図7-3 b　性・年齢別にみた騒音被害の深刻さに関する平均値

7.4　近隣は運動に適していますか

　ここからは，地域の中でもとくに身近な範囲である近隣環境についてみていこう。EASS では，自宅から 1km（徒歩 15 分程度）を近隣と定義したうえで，その近隣の状況について 6 項目の文章を設け，それぞれについて「よくあてはまる」～「まったくあてはまらない」まで 5 段階で尋ねている。最初の項目は，近隣が運動に適しているかどうかである。

■ 運動に適した近隣環境が多い日本・韓国・台湾

　図 7-4a は，「ジョギングや散歩などの運動をするのに適している」という文章に対する意見を，国・地域別に集計したものである。「よくあてはまる」が多いのは韓国（43.9%）であるが，「あてはまる」まで含めると，台湾あるいは日本においても多くの回答者は近隣が運動に適していると評価している。他方で中国では，「まったくあてはまらない」（9.5%）「あてはまらない」（23.3%）という回答も一定数みられ，近隣が運動するのに適していないという評価が 3 分の 1 近くに達する。このような評価には性別や年齢層による違いはあまりみられず，中国と他の国・地域との違いのほうが顕著である（図 7-4b）。

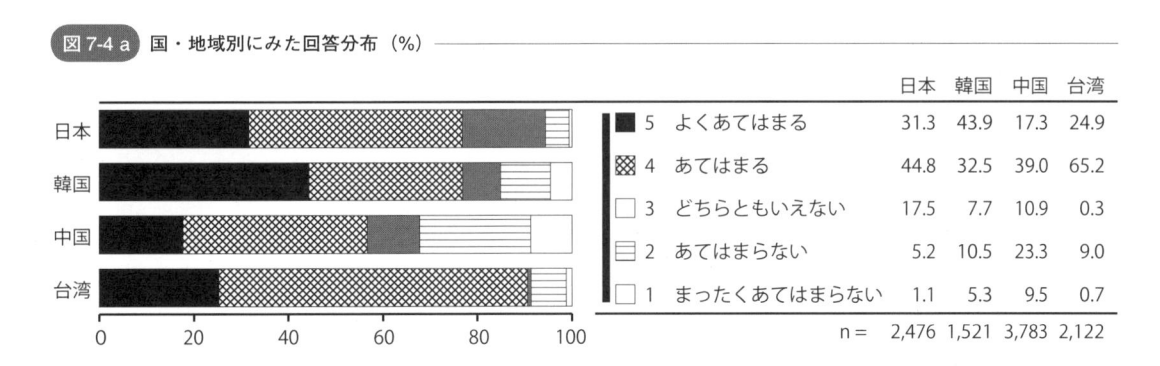

図 7-4 a 国・地域別にみた回答分布（%）

	日本	韓国	中国	台湾
5 よくあてはまる	31.3	43.9	17.3	24.9
4 あてはまる	44.8	32.5	39.0	65.2
3 どちらともいえない	17.5	7.7	10.9	0.3
2 あてはまらない	5.2	10.5	23.3	9.0
1 まったくあてはまらない	1.1	5.3	9.5	0.7
n =	2,476	1,521	3,783	2,122

図 7-4 b 性・年齢別にみた近隣環境の評価の平均値

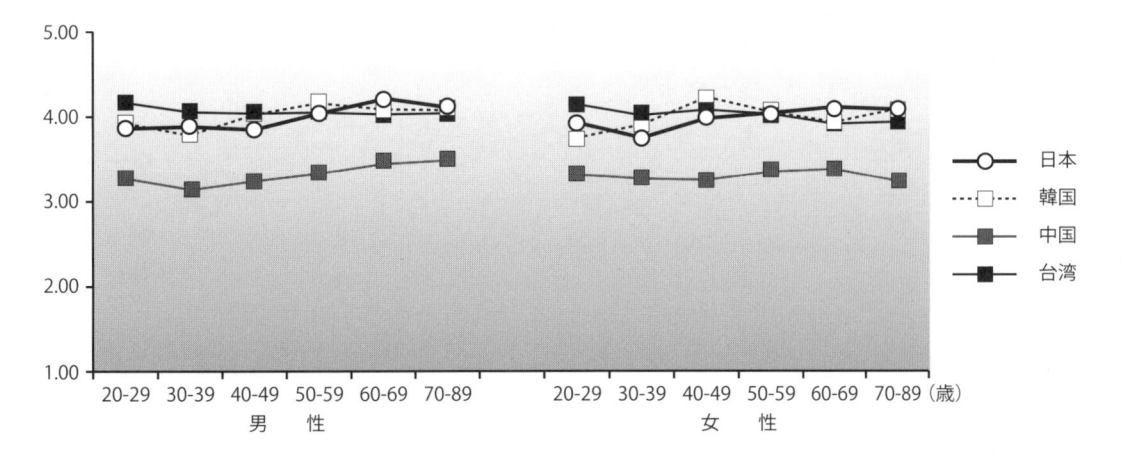

7.5 近隣で新鮮な野菜・果物が手に入りますか

　次の項目は，食に関する近隣地域の評価に関するものである。米国などでは肥満が公衆衛生上の重要課題となっているが，その一因として，近隣地域にスーパーマーケット等が少なく，生鮮食料品の入手がむずかしいといった地理的な問題が指摘されている。東アジア地域では，近隣の食環境がどのように評価されているのだろうか。

■ 近隣での生鮮食料品入手について意見の分かれる韓国

　図 7-5a は，「新鮮な果物や，野菜がいろいろと手に入る」という意見に対する回答を，国・地域ごとに集計した結果である。「よくあてはまる」という回答は韓国がもっとも多い（30.2%）ものの，「あてはまる」まで含めると，日本・中国・台湾のほうが近隣で生鮮食料品を入手しやすいと評価している。韓国では，生鮮食料品の入手がむずかしいことを意味する「あてはまらない」「まったくあてはまらない」の回答も多く，食環境の地域差が大きいといえるのかもしれない。性・年齢別の平均値に大きな差はみられないものの（図 7-5b），日本では高齢者ほど生鮮食料品を近隣で入手しやすいと感じているようである。

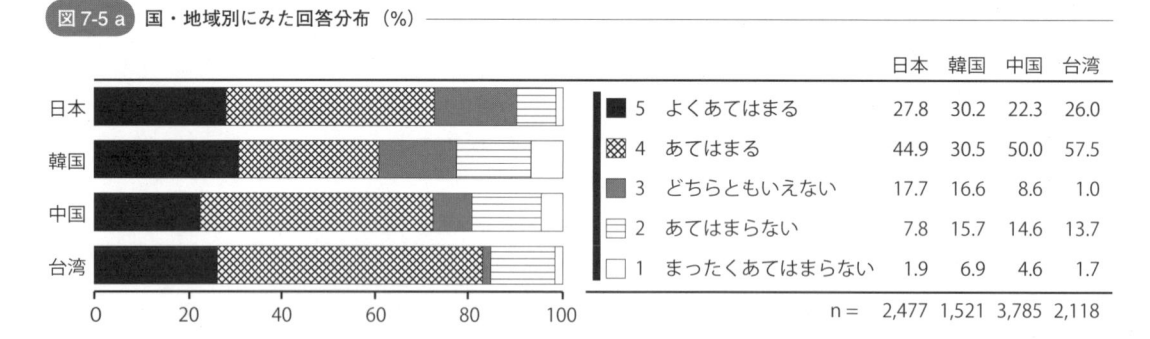

図 7-5 a　国・地域別にみた回答分布（%）

	日本	韓国	中国	台湾
5 よくあてはまる	27.8	30.2	22.3	26.0
4 あてはまる	44.9	30.5	50.0	57.5
3 どちらともいえない	17.7	16.6	8.6	1.0
2 あてはまらない	7.8	15.7	14.6	13.7
1 まったくあてはまらない	1.9	6.9	4.6	1.7
n =	2,477	1,521	3,785	2,118

図 7-5 b　性・年齢別にみた近隣環境の評価の平均値

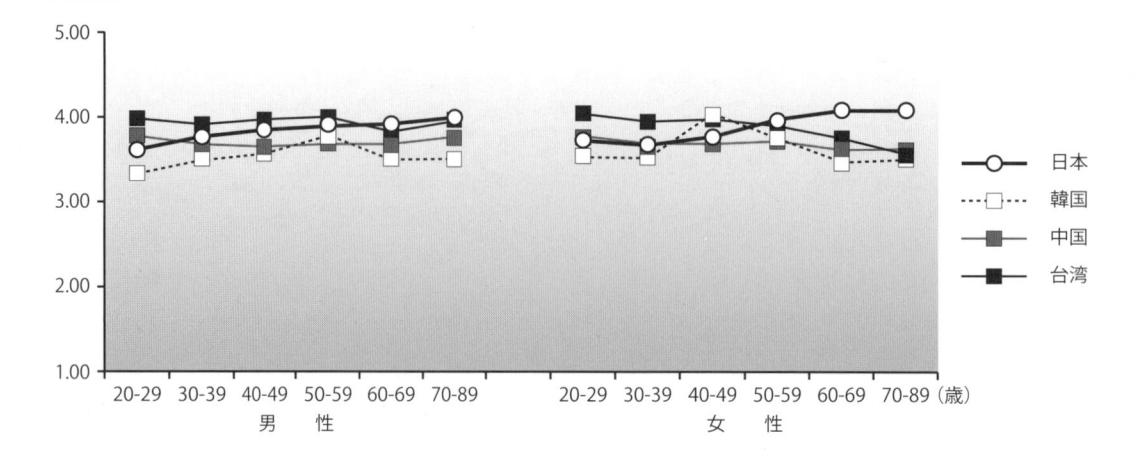

7.6　近隣では公共施設が整っていますか

続いて，近隣地域に公共施設が整っているかどうかについて確認する。さまざまな施設が徒歩圏に立地していれば，目的地まで車を使わずに歩いていくことができ，結果として身体活動量を増やすことにつながる。このような理由から，各種施設への近接性は地域の歩きやすさ（Walkability）を表す指標の一つとみなされている。

■ 近隣の公共施設が整っている台湾，乏しい中国

図 7-6a は，「公共施設（公民館・図書館・公園など）が整っている」という意見に対する回答を国・地域別に集計し，グラフに示したものである。台湾では「よくあてはまる」（28.0%），「あてはまる」（62.3%）を合わせると9割を超え，ほとんどの回答者が近隣の公共施設が整っていると評価している。これに対して，中国ではこのような評価が3割以下にとどまり，「あてはまらない」「まったくあてはまらない」があわせて6割を超えるなど，近隣の公共施設が整っていないと評価する人が多い。図 7-6b は，評価の平均値を性・年齢別に集計した結果であるが，性別や年齢層による違いはほとんどみられない。唯一，韓国では高齢者において「あてはまらない」側の回答が多く，若年層に比べると近隣の公共施設が整っていないと感じているようである。

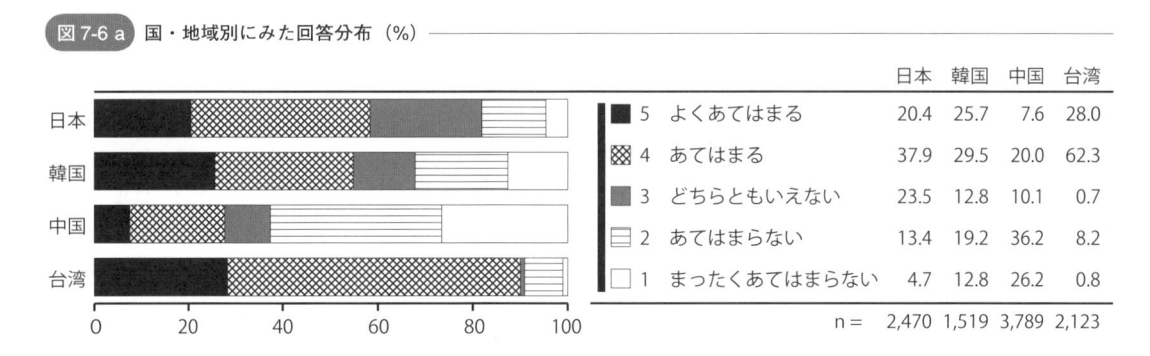

図 7-6 a　国・地域別にみた回答分布（％）

	日本	韓国	中国	台湾
5 よくあてはまる	20.4	25.7	7.6	28.0
4 あてはまる	37.9	29.5	20.0	62.3
3 どちらともいえない	23.5	12.8	10.1	0.7
2 あてはまらない	13.4	19.2	36.2	8.2
1 まったくあてはまらない	4.7	12.8	26.2	0.8
n =	2,470	1,519	3,789	2,123

図 7-6 b　性・年齢別にみた近隣環境の評価の平均値

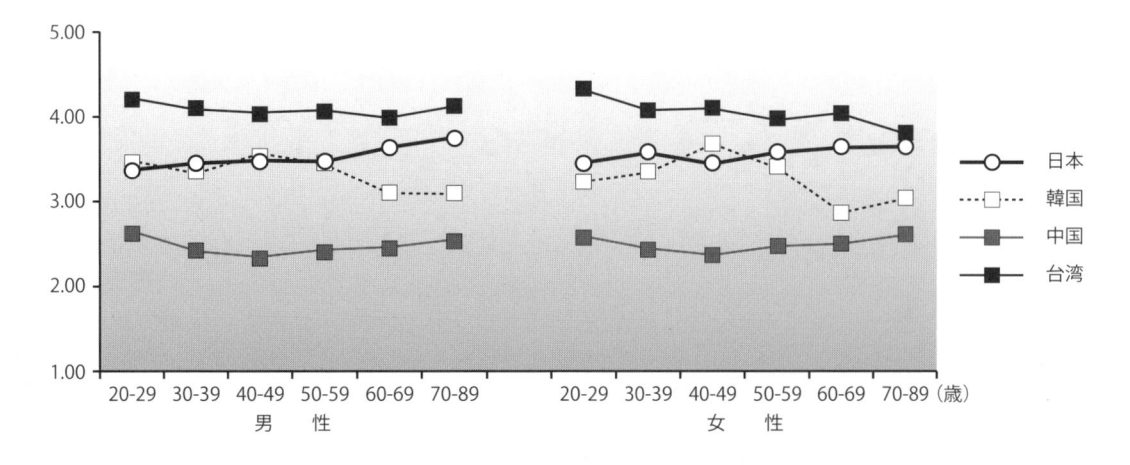

7.7 安心して生活できますか

続いての項目は，近隣地域で安心して生活できるかどうか，に関するものである。ここでいう「安心」（英語では Safe）の指し示す内容については回答者の考えに委ねられているが，たとえば事件や事故の不安を抱えずに近隣地域に出かけることができるか，といったことが一般に想定されよう。

■ 近隣地域で安心して生活できる人が多い日本

図 7-7a は，近隣地域では「安心して生活できる」という意見に対する回答を，国・地域別に集計した結果である。日本では，「あてはまる」側の回答が大半を占めており，近隣地域で安心して生活できると考える人が多くみられる。韓国では，「よくあてはまる」（24.6%）という回答は多いものの，他の国・地域では過半数を超える「あてはまる」が 32.3% にとどまり，また「あてはまらない」「まったくあてはまらない」の占める割合も比較的高い。韓国では，安心して生活できる地域とそうでない地域の差が，回答者の意識においてはっきりしているといえる。また，性・年齢別にみると（図 7-7b），近隣で安心して生活できないと考える人は，韓国の若年層でとくに多いことが分かる。

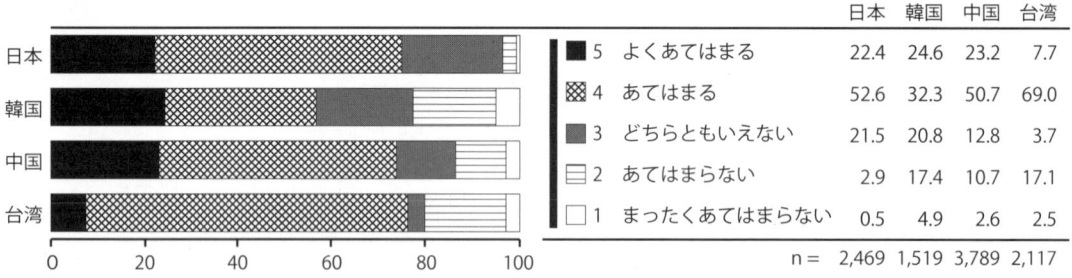

図 7-7 a 国・地域別にみた回答分布（%）

	日本	韓国	中国	台湾
5 よくあてはまる	22.4	24.6	23.2	7.7
4 あてはまる	52.6	32.3	50.7	69.0
3 どちらともいえない	21.5	20.8	12.8	3.7
2 あてはまらない	2.9	17.4	10.7	17.1
1 まったくあてはまらない	0.5	4.9	2.6	2.5
n =	2,469	1,519	3,789	2,117

図 7-7 b 性・年齢別にみた近隣環境の評価の平均値

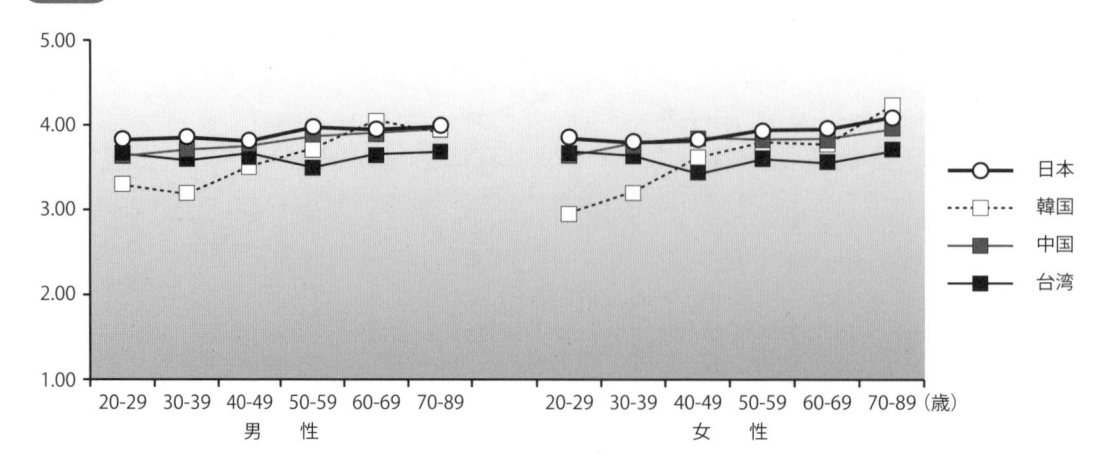

第7章 環境　95

7.8　近所の人はお互いに気にかけていますか

　近隣環境に関する項目の最後の2つは，住民間の社会的な関係性に関するものである。地域における住民同士の結び付きを表す包括的な概念としては，社会的結束性や社会関係資本などがあり，その健康影響を探る研究は近年とくに活発に進められている。東アジア地域における近隣の社会環境には，国・地域によってどのような特徴がみられるのだろうか。

■ 近隣住民同士の結び付きが強い中国

　図7-8aは，「近所の人は，お互いに気にかけている」という意見に対する回答を，国・地域ごとに集計したものである（日本・韓国・中国のみ）。中国において「あてはまる」側の回答が多く，近所の人が互いに気にかけていると感じている人が多い。これに対して韓国では，「あてはまる」と「あてはまらない」という回答がほぼ同じ割合で分布しており，日本や中国に比べると，近隣住民が互いに気にかけていると感じている人は少ない。図7-8bは，これを性・年齢別に集計してグラフ化したものである。男性・女性ともに，高齢者ほど近隣住民が互いに気にかけているという意見を表明する人が多い傾向がみられる。言い換えると，若年層では近隣住民間の結び付きに懐疑的な意見をもつ人が多く，とりわけ韓国の男性ではその傾向が顕著である。

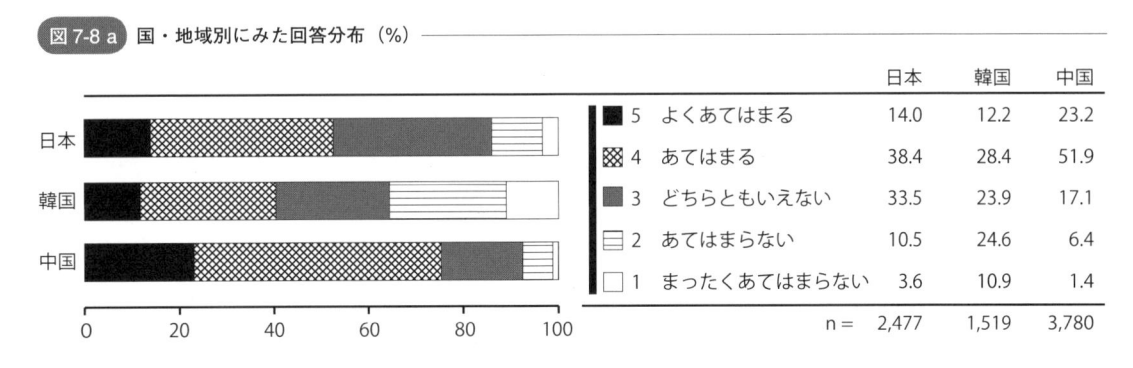

図7-8 a 国・地域別にみた回答分布（%）

	日本	韓国	中国
5 よくあてはまる	14.0	12.2	23.2
4 あてはまる	38.4	28.4	51.9
3 どちらともいえない	33.5	23.9	17.1
2 あてはまらない	10.5	24.6	6.4
1 まったくあてはまらない	3.6	10.9	1.4
n =	2,477	1,519	3,780

図7-8 b 性・年齢別にみた近隣環境の評価の平均値

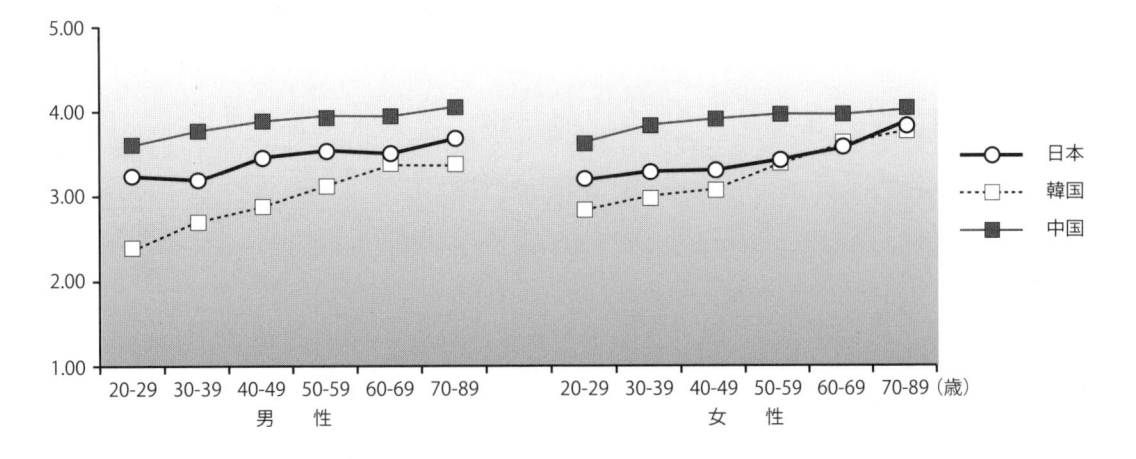

7.9 近所の人は手助けしてくれますか

　近隣環境に関する最後の項目は，住民間の社会関係のなかでも，手助けしてくれるかどうかを尋ねるものである。「気にかけているかどうか」（7.8参照）が社会関係の認知的側面についての質問だとすれば，ここでの項目は実際の行動に関するものといえるだろう。

■ 近所の手助けが無いと感じている日本と韓国の若年層

　図7-9aは，「近所の人は，私が困っていたら手助けしてくれる」という意見に対する回答を，国・地域別に集計したものである。ここでも近隣関係を強く感じているのは中国であり，「よくあてはまる」（24.0%）と「あてはまる」（54.3%）を合わせると8割近くに達する。また台湾も「あてはまる」とする回答が多く，困ったときの手助けという観点から，近隣の社会環境が肯定的に評価されていることが分かる。他方で，韓国では「あてはまらない」側の回答も一定数を占め，必ずしも近隣の社会環境を肯定的に評価する人ばかりではないようである。また，中国と台湾では性別や年齢層に関わらず「あてはまる」側の回答が多いのに対して，日本と韓国では若年層において「あてはまらない」（手助けがない）側の回答が多い（図7-9b）。集合住宅や単身世帯の増加といった住居・世帯構成の変化が，若年層を中心に近隣の助け合いを減少させているという背景が考えられる。

図7-9a 国・地域別にみた回答分布（％）

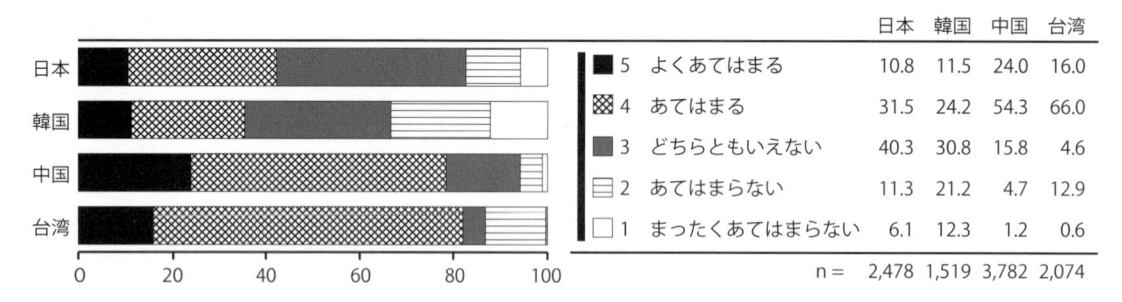

	日本	韓国	中国	台湾
5 よくあてはまる	10.8	11.5	24.0	16.0
4 あてはまる	31.5	24.2	54.3	66.0
3 どちらともいえない	40.3	30.8	15.8	4.6
2 あてはまらない	11.3	21.2	4.7	12.9
1 まったくあてはまらない	6.1	12.3	1.2	0.6
n =	2,478	1,519	3,782	2,074

図7-9b 性・年齢別にみた近隣環境の評価の平均値

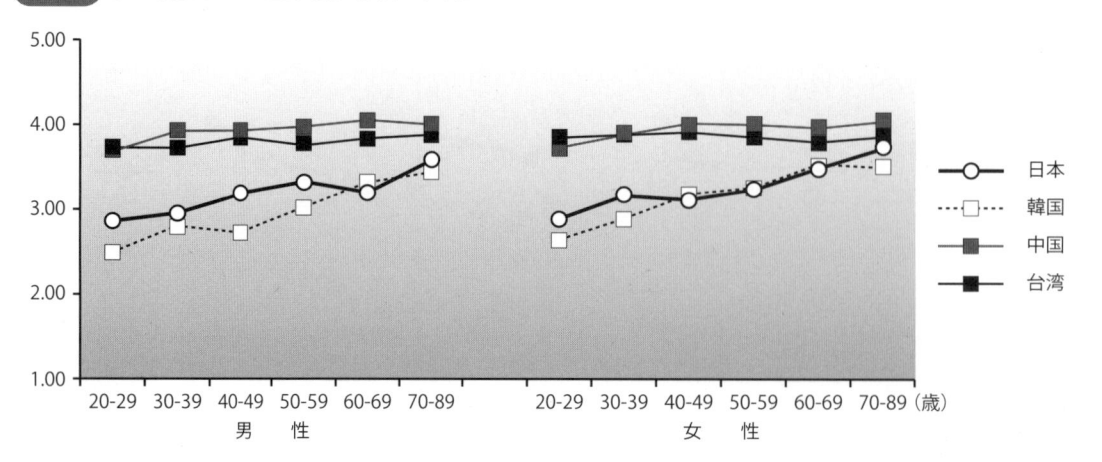

コラム1　体重や体型をどう思うか

　体格指数（BMI）については，東アジア地域では全体として肥満の割合が少なく，とくに女性に関しては若年層で低体重が多いという特徴を確認した（3.20 参照）。しかし，自分の体重や体型について，人々はどのように思っているのだろうか。健康のために標準体型に近づけたいと考えている人もいれば，健康という観点からみれば標準を下回っていても，見た目の体型のために体重を減らしたいと思っている人も少なからずいるだろう。EASS では，体重と体型をどう思うかについても尋ねているので，ここではその結果についてみてみよう（ただし，調査票に質問が組み込まれたのは，体重については日本と韓国，体型については韓国と台湾のみである）。

■ 体重を減らしたいと考える人がとくに多い日本・韓国の若年女性

　まず図 c-1a は，「現在の体重についてどう思いますか」という質問に対する回答分布を，日本と韓国それぞれについて示したグラフである。日韓ともに，体重を減らしたいと考えている人の方が，増やしたいと考えている人を大幅に上回っている。日本では「減らしたい」が 21.5%，「少し減らしたい」が 35.5% を占めるのに対して，「増やしたい」と「少し増やしたい」を合わせてもわずか 7.6% に過ぎない。韓国では日本よりも体重を増やしたいと考える人が若干多いものの，過半数は体重を減らしたいと考えている。日本と韓国はともに，およそ 7 割の人が標準的な BMI に該当しており，過体重あるいは肥満に該当するのは 2 割前後に過ぎない。したがって，標準的な BMI であるにも関わらず体重を減らしたいと考えている人が少なからずいると考えられる。

　図 c-1b は，回答の平均値を性・年齢別に集計したグラフである。まず，男性に比べると女性の平均値が高く，より体重を減らしたいと考えている人が多いことが分かる。特徴的な点としては，年齢による傾向が，性別によって異なる点である。男性については概ね逆 U 字型のトレンドを示しており，若年層と高齢層の両方において，体重を増やしたい人が多い／減らしたいという人が少ないことが示されている。ところが，女性については右下がりのグラフが示されており，若年女性は低体重の割合が高いにも関わらず，体重を減らしたいと考えている人がもっとも多いという状況が読み取れる。

■ 自分の体型が太っていると認識している人が多い台湾

　体重に関する設問とよく似ているが，韓国と台湾では，「現在の体型をどう思いますか」という質問も尋ねられている。図 c-1c は，その回答分布を示したものであり，図 c-1d は性・年齢別に回答の

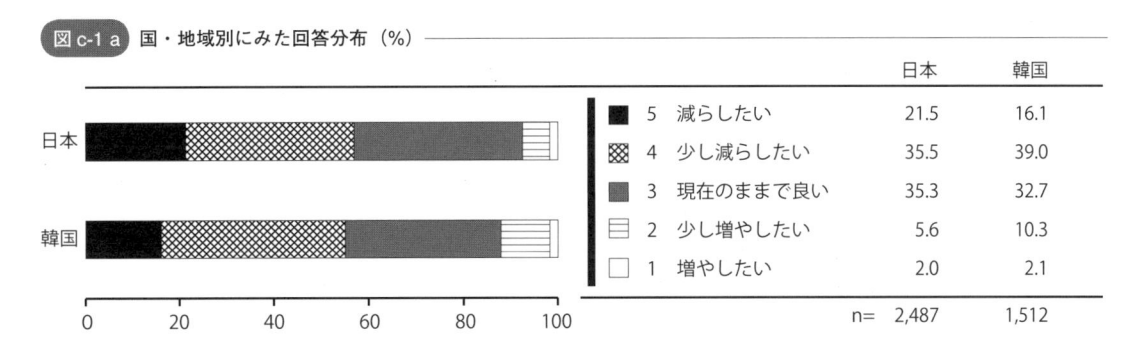

図 c-1 a　国・地域別にみた回答分布（%）

	日本	韓国
5 減らしたい	21.5	16.1
4 少し減らしたい	35.5	39.0
3 現在のままで良い	35.3	32.7
2 少し増やしたい	5.6	10.3
1 増やしたい	2.0	2.1
n=	2,487	1,512

図 c-1 b 性・年齢別にみた体重に対する意見の平均値

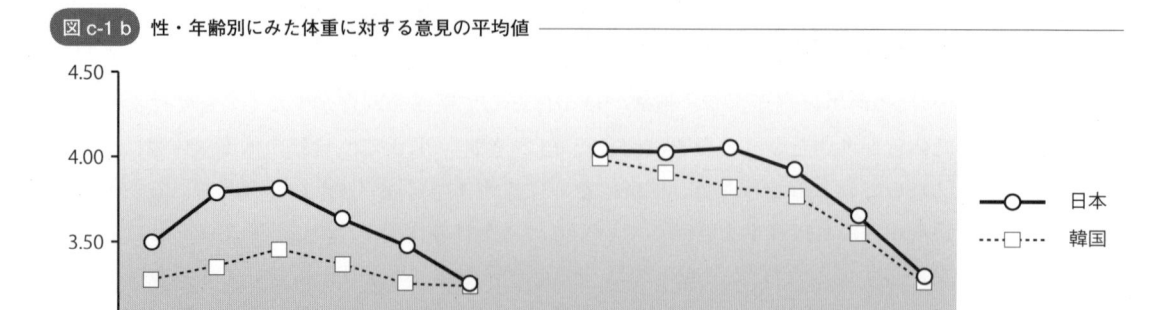

図 c-1 c 国・地域別にみた回答分布（％）

	韓国	台湾
1 かなり痩せている	4.5	3.2
2 少し痩せている	12.6	9.9
3 痩せても太ってもいない	47.0	37.3
4 少し太っている	29.9	37.8
5 かなり太っている	6.1	11.8
n=	1,520	2,122

平均値を集計したものである。韓国では自分の体型が「痩せても太ってもいない」と回答する人が47.0％ともっとも多い。体重に関する意見と合わせて考えると，現在の体型が標準的だと認識しつつも，より体重を減らしたいと考えている人が相当数いることをうかがわせる。台湾では，「少し太っている」という回答がもっとも多く，37.8％を占めている。台湾では，実際に過体重や肥満に該当する割合が韓国より高いものの（図3-20a），それ以上の割合の人が自身の体型を太っていると認識していることが分かる。また，韓国・台湾ともに，男性よりも女性の方が自分の体型を太っていると評価しやすい（図c-1d）。

ここではデータの制約から体重・体型のそれぞれについて2カ国・地域の状況しか確認できなかったものの，実際のBMIに比べて自分の体型を太っていると認識しやすく，現在よりも体重を減らしたいと考えている人が多いことは東アジア地域の大きな特徴である。この特徴はとりわけ，若年女性において顕著であり，健康というよりも美容・ダイエットといった要素が背景にあると考えられる。

図 c-1 d 性・年齢別にみた体型に対する意見の平均値

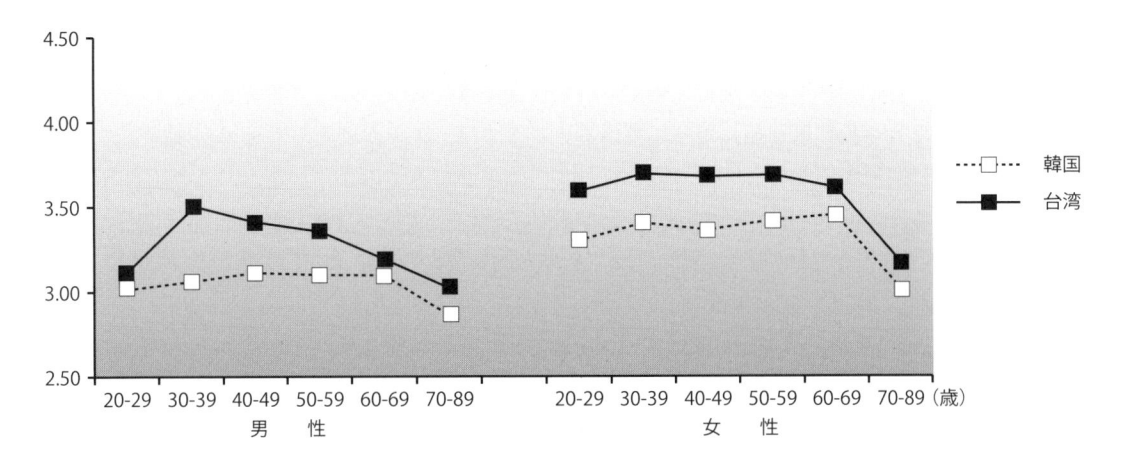

----□---- 韓国
——■—— 台湾

コラム2　ゆとり・癒しを求める人々

　日頃の生活において，どのくらい時間や心にゆとりをもっているかは，心理的な健康にとって重要な要素であろう。多忙でストレスを抱えやすい現代社会では，人々はゆとりや癒しを求めて，さまざまな場所を訪れたり活動に取り組んだりしている。ここでは，人々がゆとりをどの程度感じているのか，また，癒しに関連するどのような活動を行っているのかをみてみよう。なお，この項目は日本についてのみである。

■ ゆとりを感じにくい30-40代

　図c-2aは，「日頃の生活で，あなたは以下のことを，どのくらい感じていますか」という質問を，「時間的なゆとり感」「心のゆとり感」「孤独感」という3つの項目について尋ね，それぞれ「とても感じている」～「まったく感じていない」の4段階の選択肢で回答を求めた結果である。時間的なゆとり感と心のゆとり感の回答分布はよく似ており，ゆとり感を感じていない人はともに4割弱程度である。また，孤独感を感じている人も2割余りいる。図c-2bはこれらの回答の平均値を，性・年齢別に集計したものであるが，男女ともに，30-40代でもっともゆとりが無く，高齢者層でゆとりを感じている傾向が明瞭である。この傾向は，時間的なゆとり感と心のゆとり感で共通しているものの，時間的なゆとりの方が年齢による差が大きい。30-40代は，仕事や子育てなどで自由な時間が少なく，そのことが心のゆとり感を感じにくい一因にもなっていると考えられる。

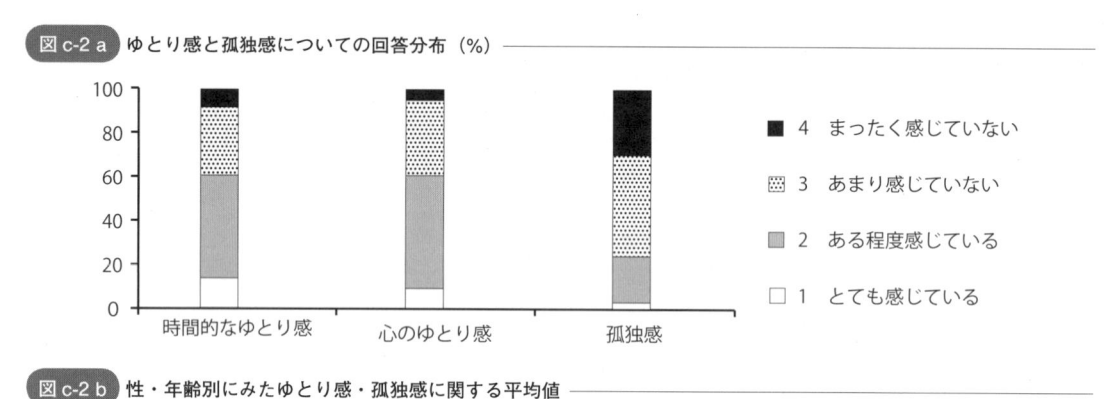

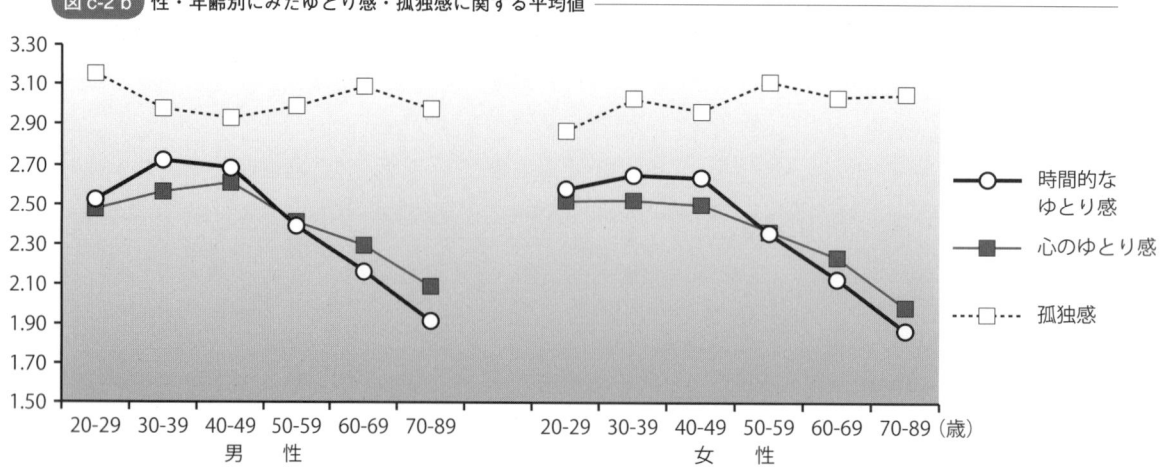

図c-2 a　ゆとり感と孤独感についての回答分布（％）

図c-2 b　性・年齢別にみたゆとり感・孤独感に関する平均値

■ 多くの人が行っている「音楽を聴く・歌を歌う」活動

　図c-2cは，癒しやゆとり，ストレス解消などを目的として行われることが多いと考えられる6つの活動について，どのくらいの頻度で行っているのかを尋ねた結果である。もっとも高い頻度で行われているのは「音楽を聴く・歌を歌う」であり，8割以上の人が年に数回以上行っている。次いで，「温泉・銭湯・サウナに行く」「自然の中で過ごす」も，それほど高頻度ではないものの多くの人が行っている活動である。また「ペットと過ごす」人は3割程度であるが，その多くはほぼ毎日という頻度でペットと過ごしている。

　さらに図c-2dは性・年齢別に活動の参加割合を示したものである。このグラフによると，性別による差はあまりみられない。年齢についてみると，もっとも多くの人が行っている音楽・歌に関して，高齢者ほど参加割合が低い傾向がみられる。「温泉・銭湯・サウナに行く」と「マッサージ，リフレクソロジー（足つぼマッサージ）などを受ける」については，女性では，20代・30代の若い世代でする人の割合が高い。

図c-2 c 癒しに関係する活動の頻度（%）

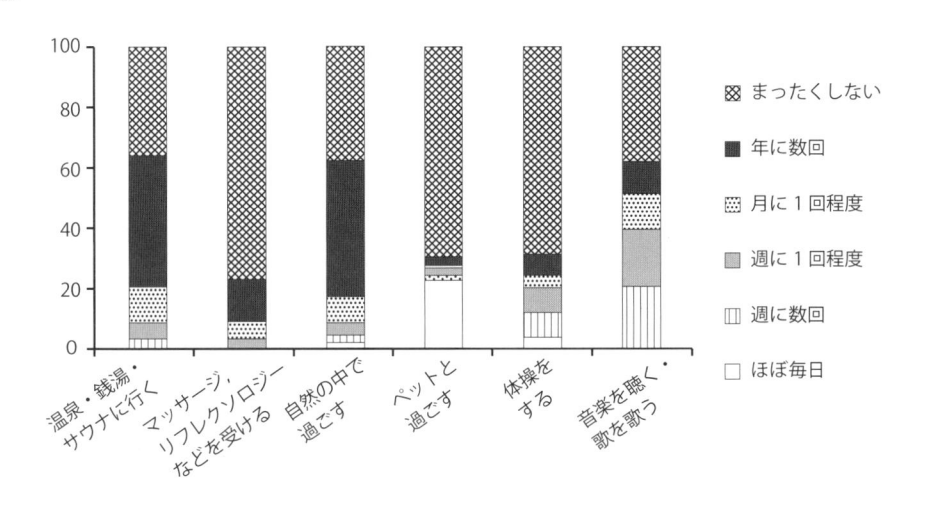

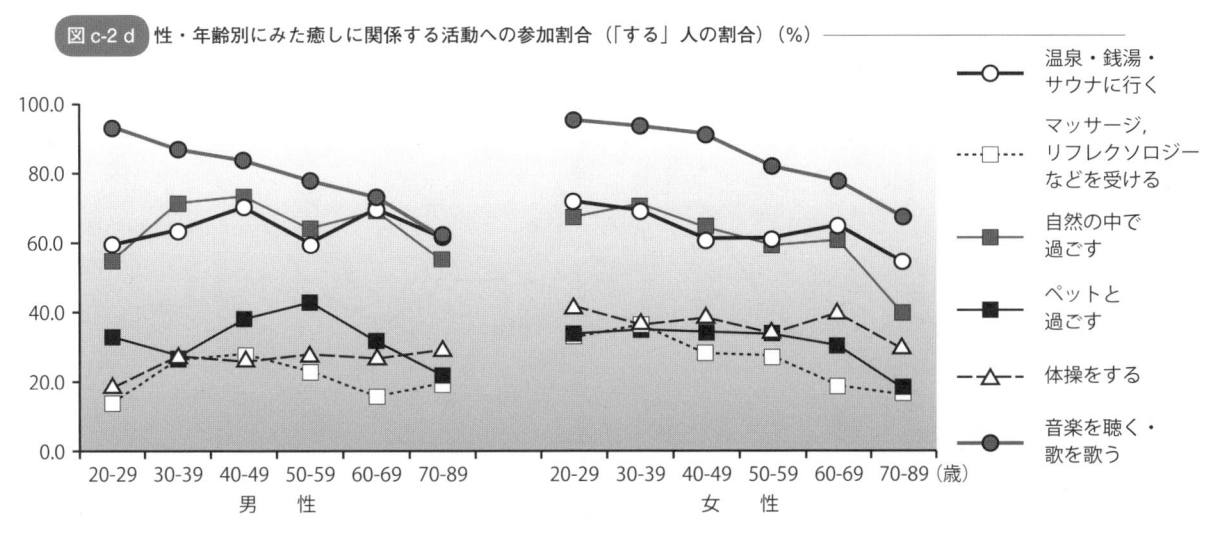

図c-2 d 性・年齢別にみた癒しに関係する活動への参加割合（「する」人の割合）（%）

コラム3　インフルエンザへの不安と予防

　2009年に世界的な流行をみたいわゆる「新型インフルエンザ」(H1N1) に対しては，海外への渡航規制や学校等の閉鎖といった措置がとられるとともに，その危険性や対処法をめぐってさまざまな問題が生じ，社会的な混乱を経験した。当時の流行は収束したものの，季節性インフルエンザや新たな感染症の世界的大流行の可能性は常にあり，感染症対策は公衆衛生上の重要な課題である。人々は，インフルエンザにどの程度不安を抱き，予防を実践しているのだろうか。

■　インフルエンザの予防接種を受けた割合が高い日本と韓国の高齢者

　EASSでは，新型だけに限らず，過去1年間にインフルエンザの予防接種を受けたかどうかを尋ねる質問が含まれている（台湾を除く）。図c-3aにはその回答分布，図c-3bには性・年齢別に予防接種を受けた人の割合を示した。予防接種を受けている人の割合は，日本（39.2%），韓国（30.7%）の順に多く，中国では10.0%にとどまる。また，日韓ともに，高齢者において予防接種を受けた割合が非常に高い点で共通している。

図c-3a　国・地域別にみた回答分布（予防接種の有無）(%)

	日本	韓国	中国
はい	39.2	30.7	10.0
いいえ	60.8	69.3	90.0
n=	2,491	1,521	3,791

図c-3b　性・年齢別にみた予防接種を受けた人の割合（%）

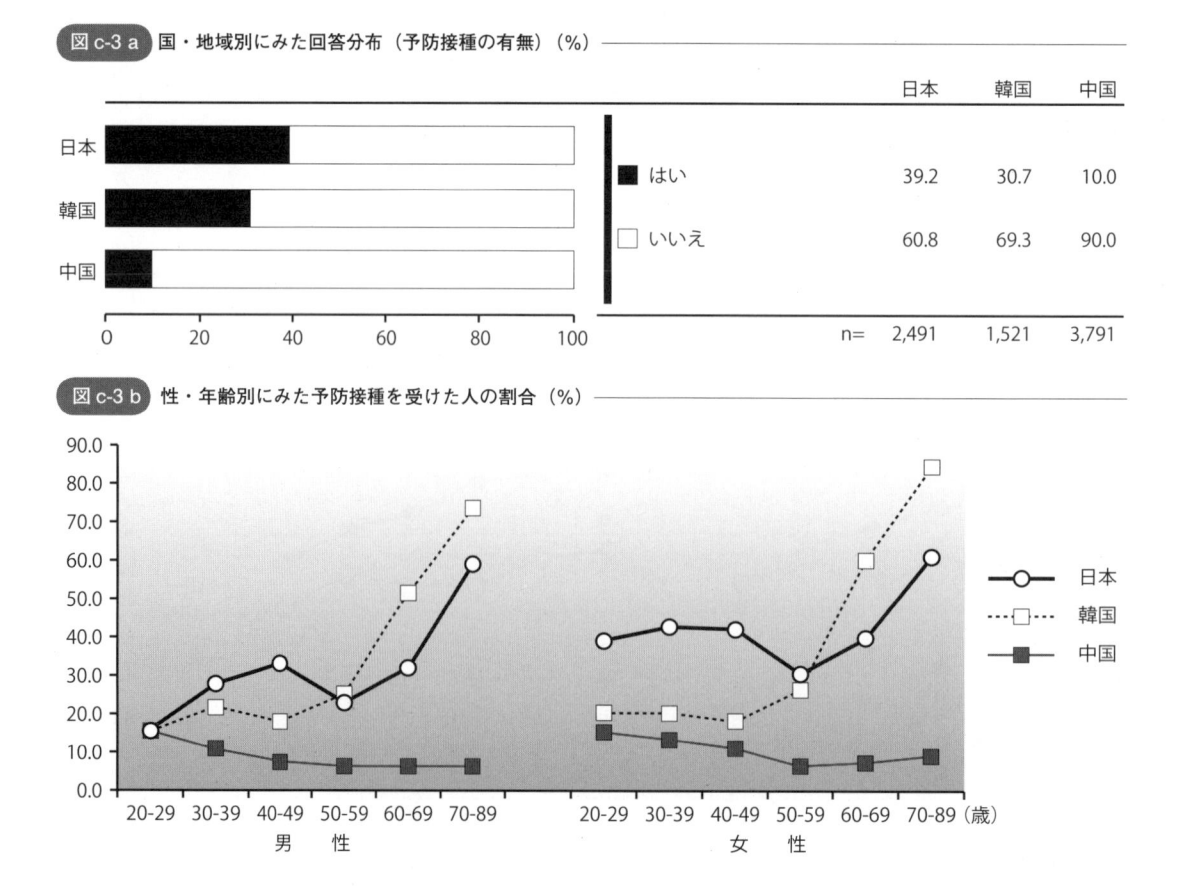

■ 日本・韓国・中国に共通する，新型インフルエンザに対する不安感の強さ

続いて，新型インフルエンザに対する不安感がどの程度であったかをみてみよう。図 c-3c は，「あなたは，昨年，新型インフルエンザが人々の間で大流行したときに，どの程度心配しましたか」という質問に対する，4項目からなる回答の分布を示している。日本・韓国・中国のいずれも，「非常に心配した」「やや心配した」の2つで3分の2程度を占め，「あまり心配しなかった」「まったく心配しなかった」という回答を上回っている。性・年齢別のグラフをみると（図 c-3d），中国では男性・女性ともに高齢層よりも若年層で不安が強い傾向がある。日本と韓国の場合，若年男性の不安感は日韓ともに弱く，全体としても男性より女性の不安感が強い。このように新型インフルエンザに対する不安感には，国・地域，性別，年齢層によって微妙な違いがみられる。これは，それぞれの人口集団における実際の感染や重症化のリスクなど，さまざまな要因を反映した結果であると考えられる。

図 c-3 c 国・地域別にみた回答分布（新型インフルエンザに対する不安感）（%）

	日本	韓国	中国
4 非常に心配した	19.6	33.2	30.0
3 やや心配した	46.2	33.5	37.4
2 あまり心配しなかった	26.4	23.2	22.3
1 まったく心配しなかった	7.9	10.2	10.3
n=	2,490	1,523	3,785

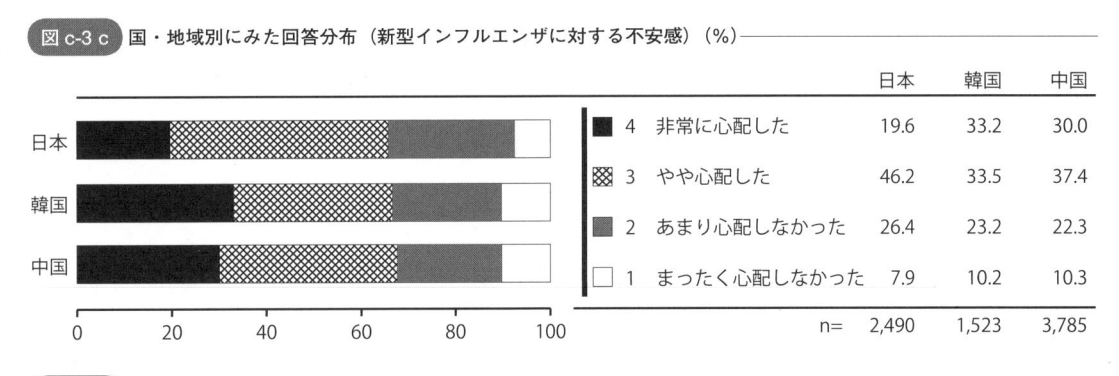

図 c-3 d 性・年齢別にみた新型インフルエンザへの不安感の平均値

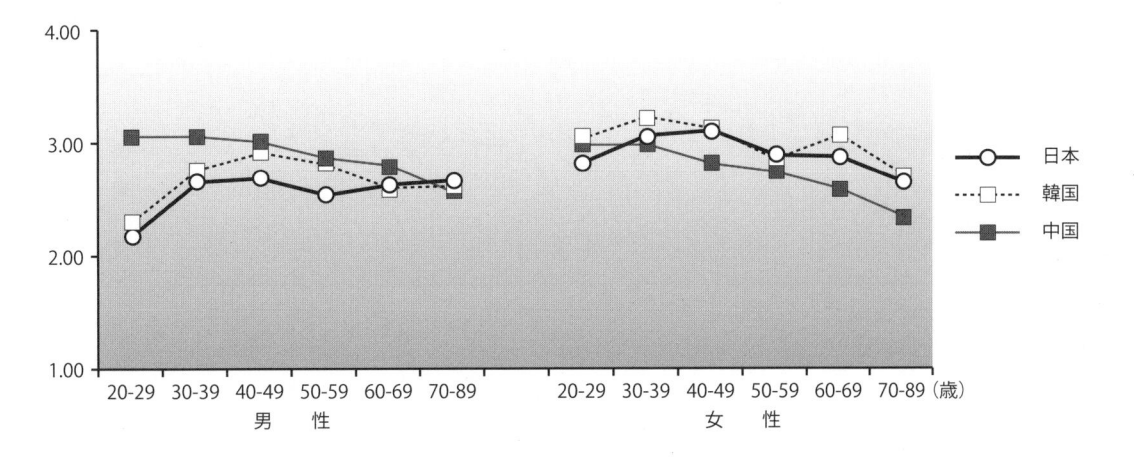

コラム 4　　社会階層による健康の格差

　日本では主に今世紀に入ってから，「格差社会」が学術的にも政策的にも，一つの重要なテーマとなっている。そのなかで，健康をめぐる格差の問題も注目を集めるようになってきている。一般に，所得や教育水準といった社会経済的地位の高い人ほど健康状態が良好であることが知られており，欧米では早くから重要な公衆衛生上の課題として研究が進められてきた（Berkman and Kawachi 2000, Kawachi and Kennedy 2002）。日本でも近年，「健康格差」という用語とともに関心が広がりをみせており，研究が進められている（近藤 2005）。この健康格差は，東アジアにおいても普遍的にみられる現象なのだろうか。

■　東アジアに共通する「健康格差」

　図 c-4 は，「あなたの健康状態は，いかがですか」という主観的健康感を尋ねる質問（3.1 参照）への回答を，世間一般と比較した場合の収入レベル（図 1-5 参照）ごとに集計したものである。ここでの主観的健康感の値は，大きいほどより健康的と感じていることを意味する。グラフからは，収入が多くなるほど健康感がよくなるという右上がりの傾向が読み取れる。この傾向は，国・地域，性別，年齢層を問わず共通して確認されることから，東アジア社会においても健康格差は広く認められるといえよう。

　ただし，この健康格差の大きさ（つまり折れ線グラフの傾き）には国・地域による差がみられ，しかもそれは利用する社会経済的地位の指標によっても異なることが知られている（Hanibuchi et al. 2012）。EASS 2010 では，より多くの健康指標によってこの健康格差問題をさまざまな角度から浮かび上がらせることができる。健康格差のような「社会」と「健康」が交差する現象の理解においてこそ，EASS の調査データは強みを発揮する。東アジアを対象としたこの分野の研究は，欧州などと比べて大きく立ち遅れている現状にあるため，今後，EASS データを利用した本格的な分析が進展することを期待したい。

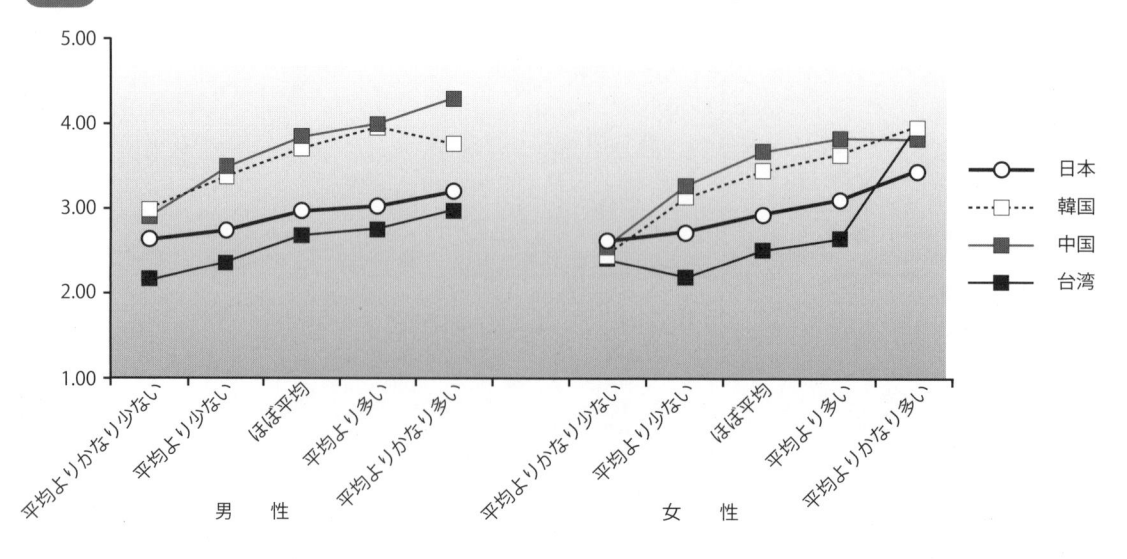

図 c-4　収入レベルによる主観的健康感の平均値（値が大きいほど健康感が「良い」）

引用・参考文献

Berkman, Lisa F, and Kawachi, Ichiro (Eds), 2000, *Social Epidemiology*. New York: Oxford University Press.
Idler, E. L., and Benyamini, Y, 1997, Self-rated health and mortality: a review of twenty-seven community studies. *Journal of Health and Social Behavior*, **38**(1): 21-37.
福原俊一・鈴鴨よしみ，2011，『SF-36v2™日本語マニュアル（第3版）』特定非営利活動法人健康医療評価研究機構．
岩井紀子・保田時男，2009，『データで見る東アジアの家族観―東アジア社会調査による日韓中台の比較』ナカニシヤ出版．
岩井紀子・上田光明編，2011，『データで見る東アジアの文化と価値観―東アジア社会調査による日韓中台の比較2』ナカニシヤ出版．
Kawachi, Ichiro, and Kennedy, Bruce P, 2002, *The Health of Nations: Why Inequality Is Harmful to Your Health*, New York: The New Press.
近藤克則，2005，『健康格差社会―何が心と健康を蝕むのか』医学書院．
大阪商業大学JGSS研究センター編，2009，『East Asian Social Survey: EASS 2006 Family Module Codebook』．
大阪商業大学JGSS研究センター編，2010，『East Asian Social Survey: EASS 2008 Culture Module Codebook』．
大阪商業大学JGSS研究センター編，2012，『East Asian Social Survey: EASS 2010 Health Module Codebook』．
Hanibuchi, Tomoya, Nakaya, Tomoki, and Murata, Chiyoe, 2012, Socio-economic status and self-rated health in East Asia: A comparison of China, Japan, South Korea and Taiwan. *European Journal of Public Health* **22**: 47-52.

[EASS関連のWebsite]

China: Survey Research Center, Hong Kong University of science and Technology, Kowloon, Hong Kong Department of Sociology, Renmin University of China, Beijing, China
　　http://www.chinagss.org/（Chinese General Social Survey）
Japan: JGSS Research Center, Osaka University of Commerce, Osaka, Japan
　　http://jgss.daishodai.ac.jp/（JGSS Research Center）
Korea: Survey Research Center, Sungkyunkwan University, Seoul, Korea
　　http://kgss.skku.edu（Korean General Social Survey）
Taiwan: Institute of Sociology, Academia Sinica, Taipei, Taiwan
　　http://survey.sinica.edu.tw/（Center for Survey Research, Academia Sinica）
East Asian Social Survey Data Archive
　　http://www.eassda.org/

EASS 2010 調査票と本書のセクション番号との対応表

Sec. 番号	タイトル	EASS 2010 データセットにおける変数名	EASS 2010 調査票における設問の番号	各国・地域の調査票における設問の番号			
				JGSS [Sb]：留置調査票B	KGSS	TSCS Survey 2011: 〈A〉：A巻 〈B〉：B巻	CGSS 居民問卷 [A]：A部分 [M]：M部分
2.1	タバコを吸いますか	v26	B-1/ B-2a.	[Sb] Q47-1/Q47-2 ＊質問形式に違いがある。	51.	〈A〉 D1 a1	〈M〉 B-1
2.2	何年くらいタバコを吸っていますか	v27	B-2/ B-2b.	[Sb] Q47-1/ Q47-3	51.1	〈A〉 D1 a2	〈M〉 B-2
2.3	タバコを「吸い過ぎだ」と言われますか	v76	K-1. B	[Sb] Q49B	71. 2)	None	〈M〉 K-1 B
2.4	タバコを「吸い過ぎている」人はいますか	v80	K-2. B	[Sb] Q50B	72. 2)	None	〈M〉 K-2 B
2.5	お酒を飲みますか	v28	B-3.	[Sb] Q48	52.	〈A〉 D1 a3	〈M〉 B-3
2.6	お酒を「飲み過ぎだ」と言われますか	v75	K-1. A	[Sb] Q49A	71. 1)	None	〈M〉 K-1 A
2.7	お酒を「飲み過ぎている」人はいますか	v79	K-2. A	[Sb] Q50A	72. 1)	None	〈M〉 K-2 A
2.8	運動をしていますか	v29	B-4.	[Sb] Q51	53.	〈AB〉 D2	〈M〉 B-4
2.9	健康診断を受けていますか	v30	B-5.	[Sb] Q52	54.	None	〈M〉 B-5
2.1	ギャンブルを「やり過ぎだ」と言われますか	v77	K-1. C	[Sb] Q49C	71. 3)	None	〈M〉 K-1 C
2.11	ギャンブルを「やり過ぎている」人はいますか	v81	K-2. C	[Sb] Q50C	72. 3)	None	〈M〉 K-2 C
2.12	ゲームを「やり過ぎだ」と言われますか	v78	K-1. D	[Sb] Q49D	71. 4)	None	〈M〉 K-1 D
2.13	ゲームを「やり過ぎている」人はいますか	v82	K-2. D	[Sb] Q50D	72. 4)	None	〈M〉 K-2 D
3.1	あなたの健康状態は，いかがですか	v4	SF_Q1.	[Sb] Q34	41.	〈A〉 D19 a	〈A〉 A15
3.2	健康上の理由で，適度の活動をすることがむずかしいと感じますか	v5	SF_Q2.	[Sb] Q35 A	42. 1)	None	〈M〉 SF_Q2
3.3	健康上の理由で，階段をのぼるなどの活動をすることがむずかしいと感じますか	v6	SF_Q3.	[Sb] Q35 B	42. 2)	None	〈M〉 SF_Q3
3.4	身体的な理由で，仕事やふだんの活動が思ったほどできなかった	v7	SF_Q4.	[Sb] Q36 A	43. 1)	None	〈M〉 SF_Q4
3.5	身体的な理由で，仕事やふだんの活動の内容によってはできないものがあった	v8	SF_Q5.	[Sb] Q36 B	43. 2)	None	〈A〉 A16
3.6	心理的な理由で，仕事やふだんの活動が思ったほどできなかった	v9	SF_Q6.	[Sb] Q37 A	44. 1)	None	〈M〉 SF_Q6

3.7	心理的な理由で，仕事やふだんの活動がいつもほど集中してできなかった	v10	SF_Q7.	[Sb] Q37 B	44. 2)	None	〈M〉SF_Q7
3.8	いつもの仕事が痛みのために妨げられましたか	v11	SF_Q8.	[Sb] Q38	45.	〈B〉D21 b	〈M〉SF_Q8
3.9	おちついて，おだやかな気分でしたか	v12	SF_Q9.	[Sb] Q39 A	46. 1)	〈AB〉D22 f	〈M〉SF_Q9
3.10	活力（エネルギー）に，あふれていましたか	v13	SF_Q10.	[Sb] Q39 B	46. 2)	None	〈M〉SF_Q10
3.11	おちこんで，ゆううつな気分でしたか	v14	SF_Q11.	[Sb] Q39 C	46. 3)	〈AB〉D22 e	〈A〉A17
3.12	人とのつきあいが，身体的あるいは心理的な理由で妨げられましたか	v15	SF_Q12.	[Sb] Q40	47.	None	〈M〉SF_Q12
3.13	健康状態 ①全体的健康感	sf12_gh		[Sb] Q34	41.		〈A〉A15
	健康状態 ②身体機能	sf12_pf		[Sb] Q35 A/ [Sb] Q35 B	42. 1) / 42. 2)		〈M〉SF_Q2/ 〈M〉SF_Q3
	健康状態 ③日常役割機能（身体）	sf12_rp		[Sb] Q36 A/ [Sb] Q36 B	43. 1) / 43. 2)		〈M〉SF_Q4/ 〈A〉A16
	健康状態 ④日常役割機能（精神）	sf12_re		[Sb] Q37 A/ [Sb] Q37 B	44. 1) / 44. 2)		〈M〉SF_Q6/ 〈M〉SF_Q7
	健康状態 ⑤体の痛み	sf12_bp		[Sb] Q38	45.		〈M〉SF_Q8
	健康状態 ⑥心の健康	sf12_mh		[Sb] Q39 A/ [Sb] Q39 C	46. 1) / 46. 3)		〈M〉SF_Q9/ 〈A〉A17
	健康状態 ⑦活力	sf12_vt		[Sb] Q39 B	46. 2)		〈M〉SF_Q10
	健康状態 ⑧社会生活機能	sf12_sf		[Sb] Q40	47.		〈M〉SF_Q12
3.14	慢性的な病気や健康問題がありますか	v18	A-15.	[Sb] Q42-1	49.	〈AB〉D20 (01)	〈M〉A-15
3.15	慢性的な病気 ①高血圧	v19	A-16. (1)	[Sb] Q42-2-1	49.1 1)	〈AB〉D20 (01)	〈M〉A-16-1
3.16	慢性的な病気 ②糖尿病	v20	A-16. (2)	[Sb] Q42-2-2	49.1 2)	〈AB〉D20 (01)	〈M〉A-16-2
3.17	慢性的な病気 ③心血管疾患	v21	A-16. (3)	[Sb] Q42-2-3	49.1 3)	〈AB〉D20 (01)	〈M〉A-16-3
3.18	慢性的な病気 ④呼吸器疾患	v22	A-16. (4)	[Sb] Q42-2-4	49.1 4)	〈AB〉D20 (01)	〈M〉A-16-4
3.19	慢性的な病気 ⑤その他	v23	A-16. (5)	[Sb] Q42-2-5/6/7/8/8S1〜12	49.1 (7)	〈AB〉D20 (01)	〈M〉A-16-5
3.20	体格指数（BMI: Body Mass Index）	bmi	A-17.	[Sb] Q45/ [Sb] Q46	50. 1) / 50. 2)	〈AB〉D5 a/ D5 b	〈A〉A13/ 〈A〉A14
4.1	医者に診てもらっていますか	v31	A-18.	[Sb] Q55	56.	〈A〉D11 a	〈M〉C-1
4.2	医療保険に入っていますか	v45	D-1.	[Sb] Q57	59.	〈AB〉G9	〈M〉D-1
4.3	医療を受けられない不安がありますか	v32	C-2.a.	[Sb] Q59 A	57. 1)	〈AB〉B3 a	〈M〉C-2 a

4.4	医療費を払えない不安がありますか	v33	C-2.b.	[Sb] Q59 B	57. 2)	〈AB〉 B3 b	〈M〉 C-2 b
4.5	受診を控えたことがありますか	v34	C-3.	[Sb] Q56-1	58.	〈AB〉 D9	〈M〉 C-3
4.6	受診を控えた理由は何ですか	v35	C-4.（1）	[Sb] Q56-2-01	58.1 1)	None	〈M〉 C-4-1
		v36	C-4.（2）	[Sb] Q56-2-02	58.1 2)	None	〈M〉 C-4-2
		v37	C-4.（3）	[Sb] Q56-2-03	58.1 3)	None	〈M〉 C-4-3
		v38	C-4.（4）	[Sb] Q56-2-04	58.1 4)	None	〈M〉 C-4-4
		v39	C-4.（5）	[Sb] Q56-2-05	58.1 5)	None	〈M〉 C-4-5
		v40	C-4.（6）	[Sb] Q56-2-06	58.1 6)	None	〈M〉 C-4-6
		v41	C-4.（7）	[Sb] Q56-2-07	58.1 7)	None	〈M〉 C-4-7
		v42	C-4.（8）	[Sb] Q56-2-08	58.1 8)	None	〈M〉 C-4-8
		v43	C-4.（9）	[Sb] Q56-2-09	58.1 9)	None	〈M〉 C-4-9
		v44	C-4.（10）	[Sb] Q56-2-10	58.1 (77)	None	〈M〉 C-4-10
		v35_tw				〈AB〉 D10 (01)	
		v36_tw				〈AB〉 D10 (02)	
		v4042_tw				〈AB〉 D10 (04)	
		v41_tw				〈AB〉 D10 (03)	
4.7	鍼・灸を受けたことがありますか	v46	E-1. A	[Sb] Q58 A	60. 1)	〈AB〉 D14 a	〈M〉 E-1 A
4.8	漢方薬を使ったことがありますか	v47	E-1. B	[Sb] Q58 B	60. 2)	〈AB〉 D14 b	〈M〉 E-1 B
4.9	指圧・マッサージを受けたことがありますか	v48	E-1. C	[Sb] Q58 C	60. 3)	〈AB〉 D14 c	〈M〉 E-1 C
5.1	介護が必要な方はいますか	v70	I-1.	[Sb] Q73-1	69.	〈AB〉 G20	〈M〉 I-1
5.2	介護をしていますか	v71	I-2.	[Sb] Q73-2	69.1	〈AB〉 G21	〈M〉 I-2
5.3	加齢に伴う不安 ①自分のことができなくなる	v72	J-1. A	[Sb] Q74 A	70. 1)	〈AB〉 G26 a	〈M〉 J-1 A
5.4	加齢に伴う不安 ②他人に決めてもらわなくてはならない	v73	J-1. B	[Sb] Q74 B	70. 2)	〈AB〉 G26 b	〈M〉 J-1 B
5.5	加齢に伴う不安 ③他人に経済的に依存しなくてはならない	v74	J-1. C	[Sb] Q74 C	70. 3)	〈AB〉 G26 c	〈M〉 J-1 C

		s8_kr			70. 4)		
		s9_kr			70. 5)		
6.1	家族・親族は悩みや心配事を聞いてくれますか	v49	F-1. A	None	61. 1)	〈AB〉G23 a	〈M〉F-1 A
6.2	家族・親族は経済的に支援してくれますか	v50	F-1. B	None	61. 2)	〈AB〉G23 b	〈M〉F-1 B
6.3	家族・親族は家事を手助けしてくれますか	v51	F-1. C	None	61. 3)	〈AB〉G23 c	〈M〉F-1 C
6.4	友人や同僚，近所の人は悩みや心配事を聞いてくれますか	v52	F-2. A	None	62. 1)	〈AB〉G24 a	〈M〉F-2 A
6.5	友人や同僚，近所の人は経済的に支援してくれますか	v53	F-2. B	None	62. 2)	〈AB〉G24 b	〈M〉F-2 B
6.6	友人や同僚，近所の人は家事を手助けしてくれますか	v54	F-2. C	None	62. 3)	〈AB〉G24 c	〈M〉F-2 C
6.7	専門家は悩みや心配事を聞いてくれますか	v55	F-3. A	None	63. 1)	〈AB〉G25 a	〈M〉F-3 A
6.8	専門家は経済的に支援してくれますか	v56	F-3. B	None	63. 2)	〈AB〉G25 b	〈M〉F-3 B
6.9	専門家は家事を手助けしてくれますか	v57	F-3. C	None	63. 3)	〈AB〉G25 c	〈M〉F-3 C
		s1_jp		[Sb] Q60-1			
		s2_1_jp		[Sb] Q60-2 1			
		s2_2_jp		[Sb] Q60-2 2			
		s2_3_jp		[Sb] Q60-2 3			
		s2_4_jp		[Sb] Q60-2 4			
		s2_5_jp		[Sb] Q60-2 5			
		s2_6_jp		[Sb] Q60-2 6			
		s2_7_jp		[Sb] Q60-2 7			
		s3_jp		[Sb] Q61-1			
		s4_1_jp		[Sb] Q61-2 1			
		s4_2_jp		[Sb] Q61-2 2			
		s4_3_jp		[Sb] Q61-2 3			
		s4_4_jp		[Sb] Q61-2 4			
		s4_5_jp		[Sb] Q61-2 5			
		s4_6_jp		[Sb] Q61-2 6			
		s4_7_jp		[Sb] Q61-2 7			
		s5_jp		[Sb] Q62-1			
		s6_1_jp		[Sb] Q62-2 1			
		s6_2_jp		[Sb] Q62-2 2			
		s6_3_jp		[Sb] Q62-2 3			
		s6_4_jp		[Sb] Q62-2 4			
		s6_5_jp		[Sb] Q62-2 5			
		s6_6_jp		[Sb] Q62-2 6			
		s6_7_jp		[Sb] Q62-2 7			

6.10	一般的に，人は信用できますか	v58	F-6.	[Sb] Q63	64.	〈AB〉 F1	〈M〉 F-6
6.11	希望のなさ ①物事がよい方向に行くとは考えられない	v16	A-13.	[Sb] Q41 A	48. 1)	〈AB〉 G22 a	〈M〉 A-13
6.12	希望のなさ ②目指している目標は達成できない	v17	A-14.	[Sb] Q41 B	48. 2)	〈AB〉 G22 b	〈M〉 A-14
7.1	大気汚染は深刻ですか	v59	G-1. A	[Sb] Q64 A	65. 1)	〈AB〉 A2 a	〈M〉 G-1 A
7.2	水質汚染は深刻ですか	v60	G-1. B	[Sb] Q64 B	65. 2)	〈AB〉 A2 b	〈M〉 G-1 B
7.3	騒音被害は深刻ですか	v61	G-1. C	[Sb] Q64 C	65. 3)	〈AB〉 A2 c	〈M〉 G-1 C
		s7_jp	G-1. D	[Sb] Q64 D			
7.4	近隣は運動に適していますか	v62	G-2. A	[Sb] Q65 A	66. 1)	〈AB〉 A3 a	〈M〉 G-2 A
7.5	近隣で新鮮な野菜・果物が手に入りますか	v63	G-2. B	[Sb] Q65 B	66. 2)	〈AB〉 A3 b	〈M〉 G-2 B
7.6	近隣では公共施設が整っていますか	v64	G-2. C	[Sb] Q65 C	66. 3)	〈AB〉 A3 c	〈M〉 G-2 C
7.7	安心して生活できますか	v65	G-2. D	[Sb] Q65 D	66. 4)	〈AB〉 A3 d	〈M〉 G-2 D
7.8	近所の人はお互いに気にかけていますか	v66	G-2. E	[Sb] Q65 E	66. 5)	None	〈M〉 G-2 E
7.9	近所の人は手助けしてくれますか	v67	G-2. F	[Sb] Q65 F	66. 6)	〈AB〉 A3 e	〈M〉 G-2 F
コラム 1	現在の体重についてどう思いますか	v83	L-1	[Sb] Q54	74.	None	None
	現在の体型をどう思いますか	v84	L-2	None	75.	〈AB〉 D8	None
コラム 2	ゆとり・癒しを求める人々			[Sb] Q66			
				[Sb] Q67			
コラム 3	インフルエンザの予防接種を受けましたか	v68	H-1.	[Sb] Q69	67.	None	〈M〉 H-1
	新型インフルエンザの流行を心配しましたか	v69	H-2.	[Sb] Q70	68.	None	〈M〉 H-2
コラム 4	あなたの健康状態は，いかがですか	v4	SF_Q1.	[Sb] Q34	41.	〈A〉 D19 a	〈A〉 A15

索　引

A-Z
BMI　　56, 97, 98

EASSDA（East Asian Social Survey Data Archive）　　iv, 2
East Asian Social Survey: EASS　　i-iv, 2-6, 8, 10, 17, 20, 24, 26, 49, 55, 62, 63, 69, 70, 74, 85, 88, 91, 97, 102, 104

General Social Survey（GSS）　　i, ii, 5

International Social Survey Programme（ISSP）　　iii-iv, 2-6

Japanese General Social Surveys: JGSS　　i, ii, iv, 2-9

SF-12（Medical Outcomes Study 12-Item Short Form Health Survey）　　i, iv, 4, 6, 45
SF-36（Medical Outcomes Study 36-Item Short Form Health Survey）　　i, 4

あ
アジア・バロメーター（AsiaBarometer）　　ii, iii
アジアン・バロメーター（Asian Barometer）　　ii, iii
歩きやすさ（Walkability）　　93

痛み　　40, 45
癒し　　100, 101
医療保険　　i, 4, 59, 61, 63
飲酒　　3, 4, 16, 20, 22-24, 27
インフルエンザ　　3, 102, 103

運動　　i, 3, 4, 16, 24, 52, 88, 91

か
介護　　i, 68-70, 83
階層帰属意識　　10, 11
学歴　　10, 14
活力（エネルギー）　　42, 45
加齢　　i, 32, 34, 36-39, 44, 45, 51-53, 60, 70-72, 76, 78, 82
環境　　i, 4, 29, 35, 45, 54, 61, 74, 88, 91, 92, 95, 96
感染症　　102
環太平洋価値観国際比較調査（Asia-Pacific Values Survey）　　ii, iii
漢方薬　　64-66

喫煙　　i, 3, 16, 17, 18, 19, 20, 23, 27, 53, 54

希望の欠如（Hopelessness）　　85, 86
ギャンブル　　27-29
禁煙　　17
近隣　　74, 91-96

経済的サポート　　74, 76, 77, 79, 82
ゲーム　　27, 29, 30
健康格差　　i, 104
健康関連QOL　　45
健康上の理由　　34-36, 44
健康状態　　i, 3, 4, 16, 26, 32, 43-45, 56, 104
健康診断　　3, 26, 49, 52

高血圧　　49, 51, 53, 55
高齢化　　i, 10, 68-70
国民皆保険制度　　59, 60
呼吸器疾患　　54

さ
指圧・マッサージ　　64, 66
社会階層　　i, 10, 104
社会階層と社会移動調査（Social Stratification and Social Mobility Survey: SSM）　　ii, iii
社会関係資本（Social capital）　　84, 95
社会的サポート　　i, 74, 76-84, 88
収入　　10, 12, 13, 104
主観的健康感（Self-rated health）　　32, 104
受診　　i, 3, 26, 49, 58, 59, 62, 63
手段的サポート　　74, 77, 80, 83
受動喫煙　　19
情緒的サポート　　74, 77-79, 81
食環境　　92
心血管疾患　　49, 53, 55
身体的な理由　　36-38
信頼感　　3, 84, 88
心理的な理由　　38, 39, 44
鍼・灸　　64, 66

水質汚染　　89
ストレス　　88, 100, 101

生活習慣　　16, 26, 27, 51, 52, 54, 88
生活習慣病　　16, 88
世界価値観調査（World Values Survey）　　ii, iii
騒音被害　　90

た
体格指数（BMI: Body Mass Index） 56, 97
大気汚染 4, 54, 88
体型 97-99
耽溺行動 i, 3, 27

低体重 56, 97

糖尿病 49, 52, 53, 55

は
東アジア価値観国際比較調査（East Asia Value Survey） ii, iii
東アジア社会調査 i
東アジア・バロメーター（East Asia Barometer） ii, iii
肥満 56, 92, 97, 98

不安 i, 3, 38, 58, 60-62, 70-72, 76, 94, 102, 103

平均寿命 i, 45

補完代替医療（CAM: Complementary & Alternative Medicine） 58, 64, 65

ま
慢性的な病気 49, 51-55

や
有病率 49, 51-54
ユーロ・バロメーター（Eurobarometer） ii
ゆとり 100, 101

予防接種 102

本書は，平成 24 年度大阪商業大学出版助成費を
受けて刊行されたものである。

データで見る東アジアの健康と社会
東アジア社会調査による日韓中台の比較 3

| 2013 年 3 月 10 日　初版第 1 刷発行 | （定価はカヴァーに表示してあります） |

編　者　　岩井紀子
　　　　　埴淵知哉
発行者　　中西健夫
発行所　　株式会社ナカニシヤ出版
〒606-8161　京都市左京区一乗寺木ノ本町 15 番地
　　　　　　　　　Telephone　075-723-0111
　　　　　　　　　Facsimile　　075-723-0095
　　　　　Website　http://www.nakanishiya.co.jp/
　　　　　E-mail　　iihon-ippai@nakanishiya.co.jp
　　　　　　郵便振替　01030-0-13128

装幀＝白沢　正／印刷＝ファインワークス／製本＝兼文堂
Copyright © 2013 by N. Iwai & T. Hanibuchi
Printed in Japan.
ISBN978-4-7795-0757-1